UITVINDINGEN

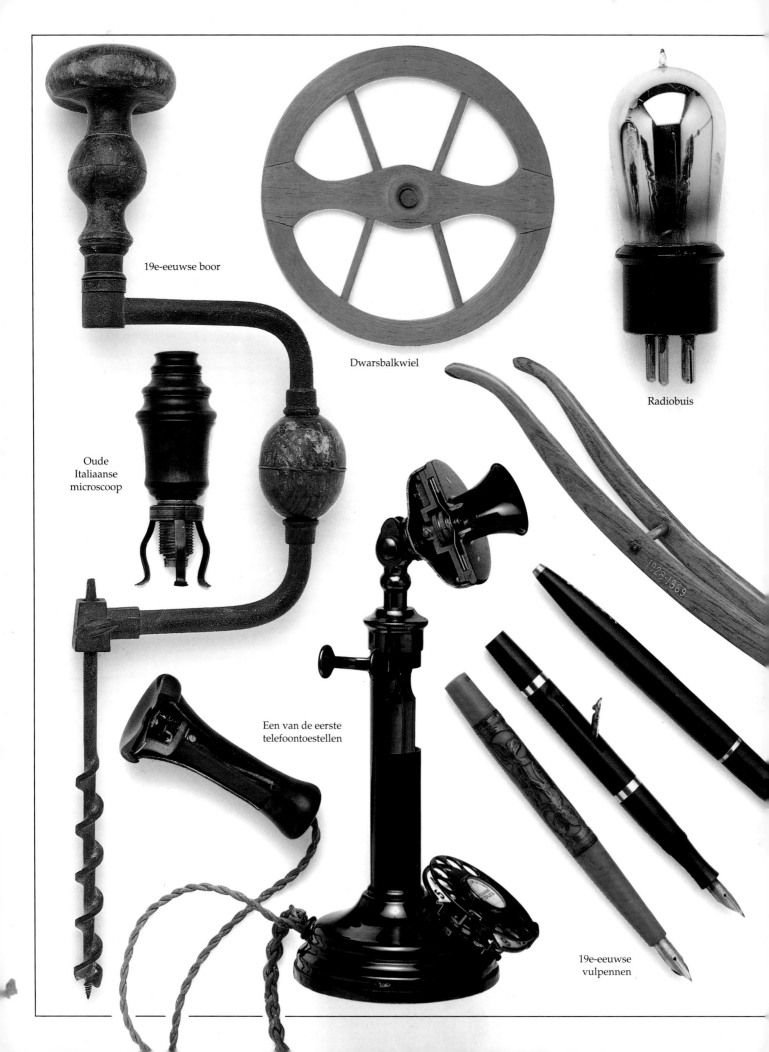

19e-eeuwse boor

Dwarsbalkwiel

Radiobuis

Oude Italiaanse microscoop

Een van de eerste telefoontoestellen

19e-eeuwse vulpennen

Lenzen voor de
daguerreocamera's

Oude Egyptische
gewichten

UITVINDINGEN

LIONEL BENDER

In samenwerking met het
SCIENCE MUSEUM,
LONDEN

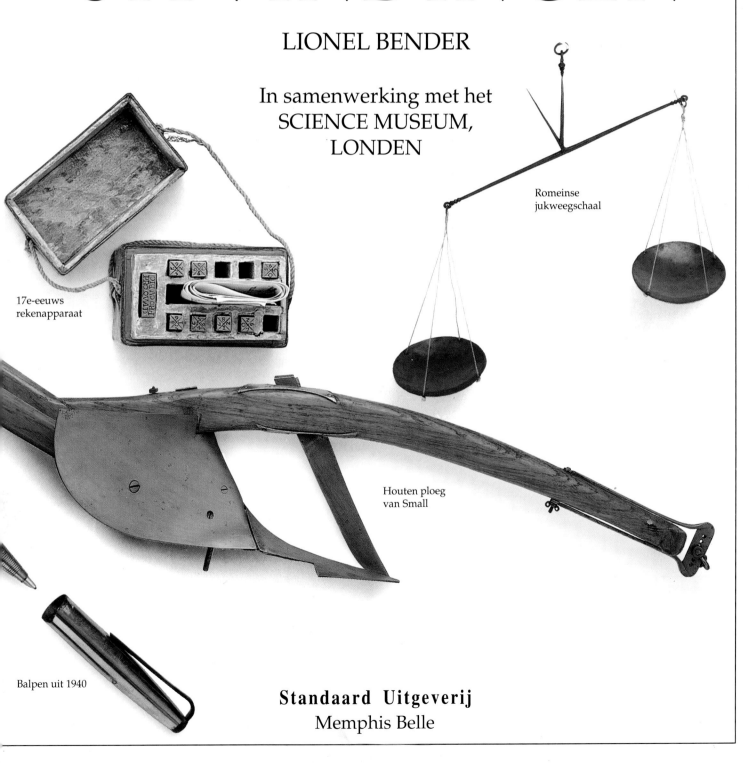

17e-eeuws
rekenapparaat

Romeinse
jukweegschaal

Houten ploeg
van Small

Balpen uit 1940

Standaard Uitgeverij
Memphis Belle

Chinese schuifmaat

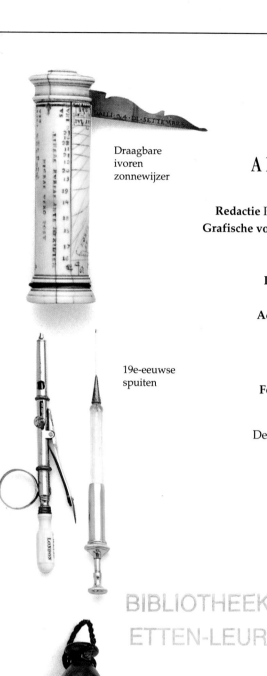

Draagbare
ivoren
zonnewijzer

19e-eeuwse
spuiten

A Dorling Kindersley Book

Redactie Phil Wilkinson, Helen Parker, Peter Lafferty
Grafische vormgeving Mathewson Bull, Jacquie Gulliver,
Julia Harris
Productie Louise Barrat
Illustratieredactie Kathy Lockley
Speciale fotografie Dave King
Adviezen Science Museum, Londen

Vertaling Mieke Sansen

Prepress Dianel Graphics
Fotogravure Colourscan, Singapore
Druk Toppan, China

Deze Ooggetuigen werd bedacht door
Dorling Kindersley Limited
en Editions Gallimard

Oorspronkelijke titel:
Eyewitness Guides, *Invention*

Herdruk 2002

Nederlandse uitgave
© 2000 Standaard Uitgeverij nv,
Belgiëlei 147a,
2018 Antwerpen
info@standaard.com
www.standaard.com

Voor Nederland:
Memphis Belle International
Keizersgracht 792
1017 EC Amsterdam
info@memphisbelle.nl

Goudgewichten
van de Asjanti

ISBN 90 45 90008 4
NUR 212/231
D/2003/0034/136

Oude
telefoonhoorn

Stenen bijl uit
Australië

Middeleeuwse
kerfstokken

Inhoud

Chinees
zeemanskompas

18e-eeuws Engels
kompas

Wat is een uitvinding?

EEN UITVINDING IS IETS dat door menselijke inspanning ontworpen werd en voordien nog niet bestond. Dit in tegenstelling tot een ontdekking, iets dat voordien wel bestond maar nog niet bekend was. Uitvindingen komen maar zelden uit het niets te voorschijn. Ze zijn gewoonlijk het resultaat van het samenvoegen van bestaande technologieën op een nieuwe manier. Dit kan gebeuren om tegemoet te komen aan een specifieke menselijke behoefte, of een gevolg zijn van de wens van de uitvinder om iets vlugger of efficiënter te doen, of zelfs per ongeluk ontstaan. Een uitvinding kan het resultaat zijn van het werk van één individu of van een groep mensen. Uitvindingen kunnen zelfs tegelijkertijd gebeuren op verschillende plaatsen in de wereld.

Kort handvat

Spil

Lang blad

Door de handvatten kan de gebruiker diepte en richting van de voor aanpassen

Glazen flessen

Glazen kralen

Handvat

STOF TOT NADENKEN
De eerste blikjes moesten met hamer en beitel geopend worden. In 1855 ontwierp een Brits uitvinder, Yates, deze blikopener. Het mes sneed langs de rand van het blik door de heen en weer gaande beweging van het handvat. Deze blikopeners werden gratis geleverd bij rundsvlees, vandaar het stierekopmotief.

1926-1369

GLAS
Niemand weet wanneer het procédé om glas te maken (het samensmelten van natriumcarbonaat en zand) uitgevonden werd. De Egyptenaren maakten reeds glazen kralen ca. 4000 v.C. In de 1e eeuw v.C. introduceerden de Syriërs waarschijnlijk het glasblazen, en ze maakten voorwerpen van verschillende vormen.

SNIJVLAKKEN
De schaar werd meer dan 3000 jaar geleden uitgevonden, ongeveer tegelijkertijd op verschillende plaatsen. De oudste modellen lijken op een tang met een veer om de bladen uit elkaar te duwen. De moderne types maken gebruik van het hefboomprincipe, wat het gebruiksgemak bevordert.

Deksel

Stierekop

Mes

INGEBLIKT
In 1810 perfectioneerde de Fransman Nicolas Appert de conserveringstechniek. Hij verhitte het voedsel zodat schadelijke bacteriën gedood werden, en verpakte het dan luchtdicht in glazen bokalen met kurken stoppen. In 1811 introduceerden twee Engelsen, Donkin en Hall, het gebruik van luchtdichte bussen van blik – vandaar de benaming conserven-*blikken* – en openden de eerste conservenfabriek.

Sluitmechanisme

IJzeren sleutel

RITS
De ritssluiting werd in 1891 uitge-vonden door de Amerikaanse inge-nieur Whitcomb Judson. Ze bestond uit twee rijen tandjes, een met haken en een met ogen, die ineenhaakten door er een glijder overheen te trek-ken. In 1914 patenteerde Gideon Sunback zijn moderne versie.

OPGESLOTEN
Bij de oudst bekende sloten werd de sleutel gebruikt om pennen of een hefboompje te lichten zodat de grendel kon bewegen. Tegenwoordig wordt het cilinderslot – ook yaleslot of lipsslot genoemd – dat in 1848 uitge-vonden werd door Linus Yale, veel gebruikt.

Lamp waaruit de lucht is verwijderd

EEN VUURTJE
De moderne lucifers wer-den in 1827 uitge-vonden door de Britse chemicus John Walker. Hij gebruikte houten splinters en dompelde de top ervan in een che-misch mengsel. Ze ont-brandden door wrijving over schuurpapier. De naam komt van het La-tijnse woord *lucifer* of "lichtdrager".

R. BELL'S IMPROVED LUCIFERS

Schuurpapier

TREK EEN LIJN
Het "lood" van het pot*lood* werd in de jaren 1790 tegelijkertijd uit-gevonden in Frankrijk en Oostenrijk. Potloodfabrikan-ten ontdekten al vlug dat zij potloden van verschil-lende hardheid verkregen door de verhouding van de twee basiselementen (grafiet en klei) te veranderen.

Oprol-mechanisme

FIJNGESTAMPT *(onder)*
Papier werd voor het eerst in 105 n.C. in China ver-vaardigd door T'sai Loen. Het eerste papier werd ge-maakt uit een mengsel van stof, hout en stro (blz. 19).

Metalen gloeidraad

LICHT AAN! *(links)*
De elektrische lamp ontstond uit vroege experimenten die aantoonden dat elektrische stroom die door een draad gaat, warmte veroorzaakt als gevolg van de weerstand van de draad. Als de stroom sterk genoeg is, wordt de draad witheet. Er waren verschillende onafhankelijke uitvin-ders, zoals Thomas Edison en Joseph Swan. Koolgloeidraadlampen wer-den vanaf het begin van de jaren 1880 in massa geproduceerd.

Aansluiting

Papierrol

EVEN DE MAAT NEMEN *(boven)*
De lintmeter ontwikkelde zich uit de meetkettingen en -roeden die de Egyptenaren als eersten gebruikten, daarna de Grieken en de Romeinen. Dit voorbeeld bevat ook een notitie-boek en dateert uit 1846.

Lintmeter

Ploegijzer om de grond los te maken

IN DE GROND
De ploeg ontstond rond 2000 v.C. uit eenvoudige schoffels en graaf-stokken die door de boeren reeds duizenden jaren gebruikt werden. Door de vorm en de grootte van de verschillende onderdelen te veranderen, kwam men geleidelijk tot de vaststelling dat de grond in één beweging kon worden open-gescheurd, verkruimeld en gekeerd.

Verbindingsstuk voor het gareel voor een stel paarden of ossen

Ploegschaar om de bo-venlaag los te maken

Strijkbord om de grond te lichten en te keren

Het verhaal van een uitvinding

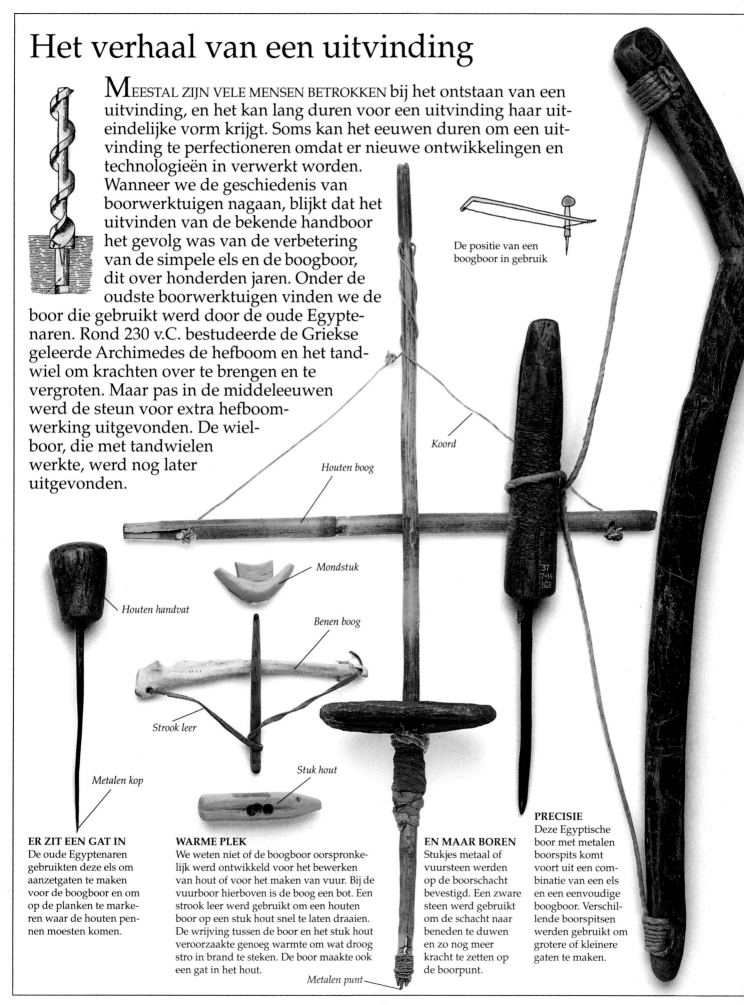

MEESTAL ZIJN VELE MENSEN BETROKKEN bij het ontstaan van een uitvinding, en het kan lang duren voor een uitvinding haar uiteindelijke vorm krijgt. Soms kan het eeuwen duren om een uitvinding te perfectioneren omdat er nieuwe ontwikkelingen en technologieën in verwerkt worden. Wanneer we de geschiedenis van boorwerktuigen nagaan, blijkt dat het uitvinden van de bekende handboor het gevolg was van de verbetering van de simpele els en de boogboor, dit over honderden jaren. Onder de oudste boorwerktuigen vinden we de boor die gebruikt werd door de oude Egyptenaren. Rond 230 v.C. bestudeerde de Griekse geleerde Archimedes de hefboom en het tandwiel om krachten over te brengen en te vergroten. Maar pas in de middeleeuwen werd de steun voor extra hefboomwerking uitgevonden. De wielboor, die met tandwielen werkte, werd nog later uitgevonden.

De positie van een boogboor in gebruik

Koord

Houten boog

Mondstuk

Benen boog

Houten handvat

Strook leer

Stuk hout

Metalen kop

ER ZIT EEN GAT IN
De oude Egyptenaren gebruikten deze els om aanzetgaten te maken voor de boogboor en om op de planken te markeren waar de houten pennen moesten komen.

WARME PLEK
We weten niet of de boogboor oorspronkelijk werd ontwikkeld voor het bewerken van hout of voor het maken van vuur. Bij de vuurboor hierboven is de boog een bot. Een strook leer werd gebruikt om een houten boor op een stuk hout snel te laten draaien. De wrijving tussen de boor en het stuk hout veroorzaakte genoeg warmte om wat droog stro in brand te steken. De boor maakte ook een gat in het hout.

Metalen punt

EN MAAR BOREN
Stukjes metaal of vuursteen werden op de boorschacht bevestigd. Een zware steen werd gebruikt om de schacht naar beneden te duwen en zo nog meer kracht te zetten op de boorpunt.

PRECISIE
Deze Egyptische boor met metalen boorspits komt voort uit een combinatie van een els en een eenvoudige boogboor. Verschillende boorspitsen werden gebruikt om grotere of kleinere gaten te maken.

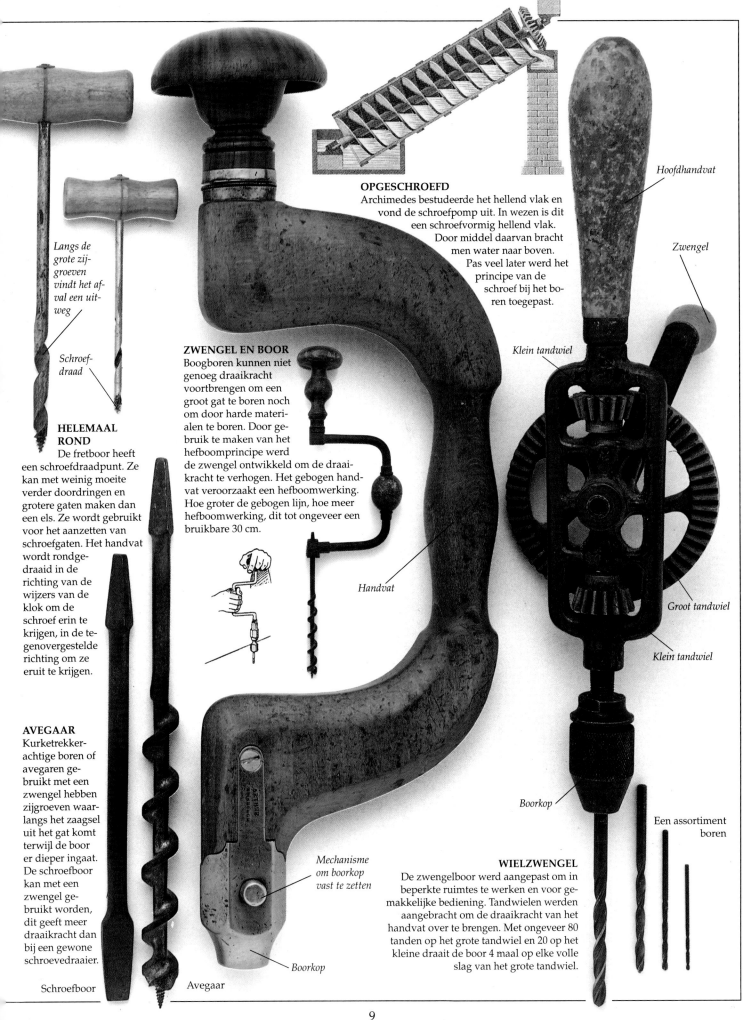

Langs de grote zijgroeven vindt het afval een uitweg

Schroefdraad

HELEMAAL ROND

De fretboor heeft een schroefdraadpunt. Ze kan met weinig moeite verder doordringen en grotere gaten maken dan een els. Ze wordt gebruikt voor het aanzetten van schroefgaten. Het handvat wordt rondgedraaid in de richting van de wijzers van de klok om de schroef erin te krijgen, in de tegenovergestelde richting om ze eruit te krijgen.

AVEGAAR

Kurketrekker-achtige boren of avegaren gebruikt met een zwengel hebben zijgroeven waarlangs het zaagsel uit het gat komt terwijl de boor er dieper ingaat. De schroefboor kan met een zwengel gebruikt worden, dit geeft meer draaikracht dan bij een gewone schroevedraaier.

Schroefboor

ZWENGEL EN BOOR

Boogboren kunnen niet genoeg draaikracht voortbrengen om een groot gat te boren noch om door harde materialen te boren. Door gebruik te maken van het hefboomprincipe werd de zwengel ontwikkeld om de draaikracht te verhogen. Het gebogen handvat veroorzaakt een hefboomwerking. Hoe groter de gebogen lijn, hoe meer hefboomwerking, dit tot ongeveer een bruikbare 30 cm.

Handvat

OPGESCHROEFD

Archimedes bestudeerde het hellend vlak en vond de schroefpomp uit. In wezen is dit een schroefvormig hellend vlak. Door middel daarvan bracht men water naar boven. Pas veel later werd het principe van de schroef bij het boren toegepast.

Hoofdhandvat

Zwengel

Klein tandwiel

Groot tandwiel

Klein tandwiel

Boorkop

Een assortiment boren

Mechanisme om boorkop vast te zetten

Boorkop

WIELZWENGEL

De zwengelboor werd aangepast om in beperkte ruimtes te werken en voor gemakkelijke bediening. Tandwielen werden aangebracht om de draaikracht van het handvat over te brengen. Met ongeveer 80 tanden op het grote tandwiel en 20 op het kleine draait de boor 4 maal op elke volle slag van het grote tandwiel.

Avegaar

Gereedschap

Ongeveer 3,75 miljoen jaren geleden namen onze verre voorouders een rechtopstaande houding aan en begonnen ze te leven in open grasland. Ze hadden nu hun handen vrij voor nieuwe bezigheden. Ze peuzelden achtergelaten karkassen op en verzamelden eetbare planten. Langzaam maar zeker ontwikkelden deze vroege mensen het gebruik van werktuigen. Ze gebruikten keien en stenen om het vlees te snijden en beenderen open te breken voor het merg. Later sloegen zij scherpe randen aan hun stenen zodat die beter sneden. Ongeveer 400 000 jaar geleden werden bijlen en pijlpunten van vuursteen gemaakt. Beenderen werden gebruikt als knuppels en hamers. Ongeveer 250 000 jaar geleden ontdekte de mens het vuur. Nu ze eten konden koken, maakten onze voorouders verschillende werktuigen voor de jacht op wilde dieren. Toen ze met de landbouw begonnen, hadden ze weer andere werktuigen nodig.

GEREEDSCHAP MET TWEE DOELEINDEN
Het houweel was een evolutie van de bijl en verscheen in de 8e eeuw v.C. Het mes maakt een bijna rechte hoek met de steel. Dit werktuig uit Noord-Papua kon gebruikt worden als bijl (zoals hier) of als houweel, door de positie van het blad te veranderen.

Stenen blad

Gespleten houten steel

KLEVERIGE UITEINDEN
Deze Australische bijl vertegenwoordigt de eerste fase na de vuistbijl. Een steen werd met hars vastgezet in een gespleten stuk hout en de twee helften werden aaneengebonden. Deze bijl werd waarschijnlijk gebruikt om te doden.

VUISTBIJL
Deze vuurstenen vuistbijl, gevonden in Kent, Engeland, werd waarschijnlijk eerst bewerkt met een steen (boven) om de ruwe vorm te krijgen en daarna met een bot. Ze is waarschijnlijk 20 000 jaar oud. Ze dateert uit wat wij het Stenen Tijdperk noemen, ofwel het Paleolithicum, waarin vuursteen het belangrijkste materiaal voor werktuigen was.

Opening voor steel

Gat voor verbindingskoord

OP EEN NA DE BESTE
Als er geen vuursteen beschikbaar was, werd een zachtere steensoort gebruikt om werktuigen te vervaardigen, zoals dit bijlblad. Niet alle steensoorten konden zo scherp gemaakt worden als vuursteen.

GESLEPEN BIJL
Om dit bijlblad te krijgen werd waarschijnlijk een brok steen tegen rotsen gewreven en daarna met keien geslepen tot hij glad en gepolijst was.

GEBRONSD
Ongeveer 8000 jaar geleden begon men in Azië brons te gebruiken bij het vervaardigen van gereedschap en wapens. In Europa duurde het Bronzen Tijdperk van ongeveer 2000 tot 500 v.C.

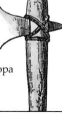

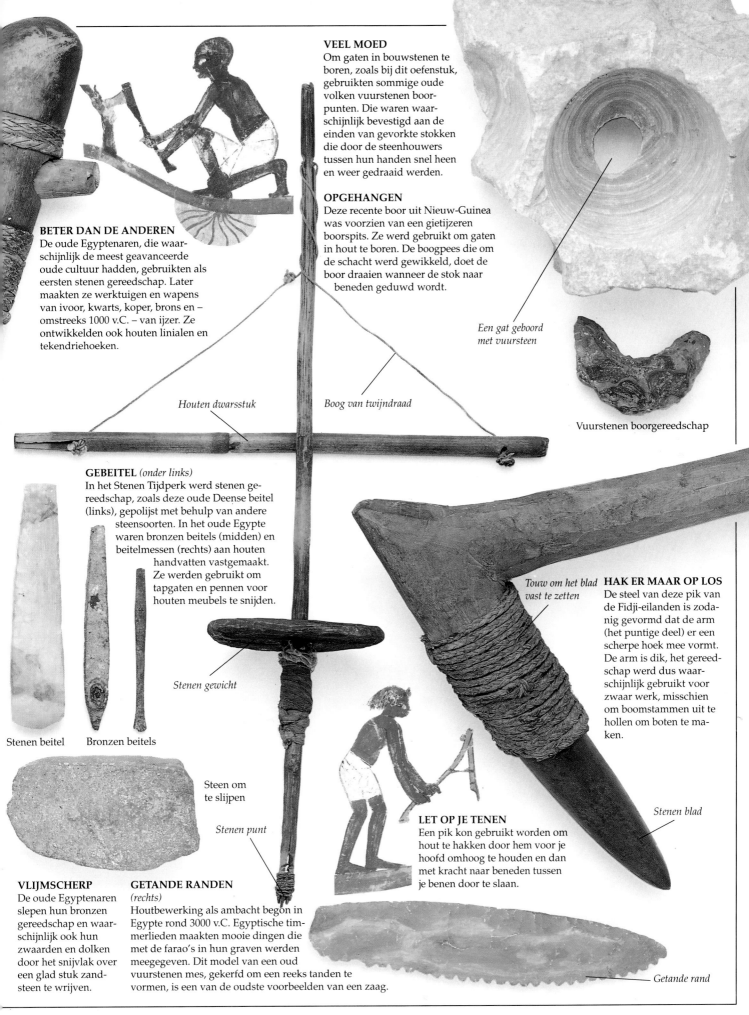

VEEL MOED
Om gaten in bouwstenen te boren, zoals bij dit oefenstuk, gebruikten sommige oude volken vuurstenen boorpunten. Die waren waarschijnlijk bevestigd aan de einden van gevorkte stokken die door de steenhouwers tussen hun handen snel heen en weer gedraaid werden.

OPGEHANGEN
Deze recente boor uit Nieuw-Guinea was voorzien van een gietijzeren boorspits. Ze werd gebruikt om gaten in hout te boren. De boogpees die om de schacht werd gewikkeld, doet de boor draaien wanneer de stok naar beneden geduwd wordt.

Een gat geboord met vuursteen

Vuurstenen boorgereedschap

BETER DAN DE ANDEREN
De oude Egyptenaren, die waarschijnlijk de meest geavanceerde oude cultuur hadden, gebruikten als eersten stenen gereedschap. Later maakten ze werktuigen en wapens van ivoor, kwarts, koper, brons en – omstreeks 1000 v.C. – van ijzer. Ze ontwikkelden ook houten linialen en tekendriehoeken.

Houten dwarsstuk

Boog van twijndraad

GEBEITEL (*onder links*)
In het Stenen Tijdperk werd stenen gereedschap, zoals deze oude Deense beitel (links), gepolijst met behulp van andere steensoorten. In het oude Egypte waren bronzen beitels (midden) en beitelmessen (rechts) aan houten handvatten vastgemaakt. Ze werden gebruikt om tapgaten en pennen voor houten meubels te snijden.

Stenen gewicht

Stenen beitel   Bronzen beitels

Steen om te slijpen

Stenen punt

VLIJMSCHERP
De oude Egyptenaren slepen hun bronzen gereedschap en waarschijnlijk ook hun zwaarden en dolken door het snijvlak over een glad stuk zandsteen te wrijven.

GETANDE RANDEN
(*rechts*)
Houtbewerking als ambacht begon in Egypte rond 3000 v.C. Egyptische timmerlieden maakten mooie dingen die met de farao's in hun graven werden meegegeven. Dit model van een oud vuurstenen mes, gekerfd om een reeks tanden te vormen, is een van de oudste voorbeelden van een zaag.

Touw om het blad vast te zetten

HAK ER MAAR OP LOS
De steel van deze pik van de Fidji-eilanden is zodanig gevormd dat de arm (het puntige deel) er een scherpe hoek mee vormt. De arm is dik, het gereedschap werd dus waarschijnlijk gebruikt voor zwaar werk, misschien om boomstammen uit te hollen om boten te maken.

Stenen blad

LET OP JE TENEN
Een pik kon gebruikt worden om hout te hakken door hem voor je hoofd omhoog te houden en dan met kracht naar beneden tussen je benen door te slaan.

Getande rand

Het wiel

HET WIEL IS WAARSCHIJNLIJK de belangrijkste mechanische uitvinding aller tijden. Men vindt wielen in de meeste machines, in klokken, windmolens en stoommachines, en ook voertuigen hebben wielen, o.a. de auto en de fiets. Het wiel ontstond zo'n 5000 jaar geleden in Mesopotamië, een deel van het huidige Irak. Het werd gebruikt door pottenbakkers om hun klei te bewerken. Ongeveer terzelfder tijd werden wielen gemonteerd aan karren, waardoor verandering kwam in het transport en het mogelijk werd om zwaar materiaal en omvangrijke voorwerpen betrekkelijk gemakkelijk te verplaatsen. Deze oude wielen waren solide en bestonden uit houten planken die aan elkaar vastgemaakt waren. Spaakwielen verschenen pas later, rond 2000 v.C. Ze waren lichter en werden gebruikt voor de strijdwagens. Kogellagers, die het wiel gemakkelijker deden draaien, werden pas uitgevonden rond 100 v.C.

POTTENBAKKERSSCHIJF
Omstreeks 300 v.C. hadden de Grieken en de Egyptenaren de pottenbakkersstoel uitgevonden met een kopschijf en een voetschijf. Zo konden gelijkmatiger voorwerpen gevormd worden.

Driedelig wiel

Beschermende plaat voor bestuurder

Vaste houten as

BOUWVAKKERS UIT HET STENEN TIJDPERK *(links)*
Voor het wiel bestond, gebruikte men waarschijnlijk boomstammen om zware lasten als grote bouwstenen op hun plaats te krijgen. Boomstammen hadden hetzelfde effect als wielen, maar er was heel wat energie nodig om de stammen in de juiste positie te krijgen en de last in evenwicht te houden.

Pen om het wiel op zijn plaats te houden

Massief houten oppervlak

As

As

Houten dwarsstuk

As

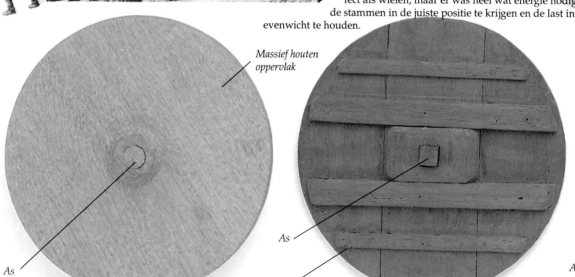

STEVIG MAAR ZELDZAAM
De eerste wielen waren soms massieve houten schijven die van boomstammen gekapt waren. Ze waren niet algemeen te vinden omdat het wiel ontstond op plaatsen waar bomen zeldzaam waren. Massief houten strijdwagenwielen zijn gevonden in Denemarken.

HET 'PLANKENWIEL'
Driedelige (of drieledige) wielen werden gemaakt van planken die bijeengehouden werden met houten of metalen dwarsstukken. Dit is een van de oudste vormen van het wiel; het wordt nog gebruikt in sommige landen. Deze wielen zijn geschikt voor slechte wegen.

STEVIG MAAR ZWAAR
Op sommige plaatsen waar hout moeilijk te vinden was, werd steen gebruikt voor wielen. Het was zwaar, maar sterk. Het stenen wiel werd uitgevonden in China en Turkije.

WIELEN OP OORLOGSPAD
Door het wiel konden strijdwagens gebouwd worden; ze ontstonden rond 2000 v.C. in Mesopotamië.

Leren riemen

Houten chassisbalk

LEREN LAGERS
Rond 100 v.C. maakten de Kelten in het huidige Frankrijk en Duitsland karren met eenvoudige draaiasverstevigingen. Deze bestonden uit leren omhulsels die tussen de as en de wielnaaf werden ge stoken. Zij verminderden de wrijving en deden het wiel vlotter rond-draaien.

Rollenlagers

DWARSBALK
Het paard was vastgebonden aan de dwarsbalk, die met leren riemen vastzat aan het chassis.

Pen om het wiel op zijn plaats te houden

Chassis

Vaste as

VASTE AS
De vaste as was onbeweeglijk. Hij was vastgemaakt aan het chassis van het voertuig en het wiel draaide rond de as.

Wiel

ZUINIG RIJDEN
Wielen zoals dit, met metalen banden om slijtage tegen te gaan, werden reeds in 2000 v.C. gemaakt. Ze werden gedurende de hele middeleeuwen gebruikt.

Chassis

Bewegende as

BEWEGENDE AS
De bewegende as was stevig vastgemaakt aan het wiel en draaide mee met het wiel.

ROLLEN-LAGERS
Het is mogelijk dat Deense wagenmakers rond 100 v.C. geprobeerd hebben om ronde houten staven rond de as te plaatsen, dit om het wiel vlotter te laten draaien.

Rollenlagers

Wiel

Gaten maken het wiel lichter

Oude kar uit het Midden-Oosten

Stenen wiel

As

OUD HALFMASSIEF WIEL
Wielen konden lichter gemaakt worden door er secties uit te snijden. Wielen van dit type, Dystrop-wielen genoemd, werden gemaakt in de eeuwen rond 2000 v.C.

As

Spaken om het wiel te verstevigen

DWARSBALKWIEL
Wanneer grote delen van het wiel uitgesneden werden, kon het wiel verstevigd worden met stutten of dwarsbalken. Toen was het nog maar een kleine stap naar het spaakwiel.

Metaalbewerking

Romeinse ijzeren spijker, rond 88 n.C.

GOUD EN ZILVER KOMEN van nature voor in hun metallische toestand. Sinds de oudste tijden vonden de mensen klompen van deze metalen en gebruikten ze voor eenvoudige versieringen. Maar het eerste bruikbare metaal dat bewerkt werd, was koper. Het moest gewonnen worden uit gesteenten, of ertsen, door deze op een zeer heet vuur te verwarmen. De volgende stap was dan het maken van brons. Brons, een legering van koper en tin, was sterk en roestte noch verging. Het was gemakkelijk te verwerken door het te smelten en in een vorm te gieten, een methode die gieten genoemd wordt. Omdat brons sterk en gemakkelijk te bewerken was, werd alles, van zwaarden tot juwelen, van dit metaal gemaakt. IJzer werd pas gebruikt rond 1500 v.C. IJzererts werd met houtskool verbrand, wat een onzuivere vorm van het metaal voortbracht. Er was genoeg ijzer, maar het was moeilijk te smelten: in het begin moest het met de hamer bewerkt worden.

GIETEN – LAATSTE FASE
Na het afkoelen werd de gietvorm opengebroken en het voorwerp eruit gehaald. Massief brons is veel harder dan koper en kan gehamerd worden om een scherpe snijrand te krijgen. Daarom werd brons het eerste metaal dat wijd en zijd gebruikt werd.

Loep ijzer

IJzererts

Gedeeltelijk behamerde loep

EEN LOEP IJZER
De oude ovens waren niet heet genoeg om ijzer te smelten en daarom werd het metaal geproduceerd als een sponsachtige brok, een loep genaamd. Deze loep werd in vorm gehamerd terwijl ze gloeiend heet was.

GIETEN – EERSTE FASE
De eerste fase bij het maken van brons was het verwarmen van koper- en tinerts in een grote kom of een eenvoudige oven. Brons is gemakkelijker te smelten en te scheiden dan koper alleen.

GIETEN – TWEEDE FASE
Het gesmolten brons werd in een gietvorm gegoten om af te koelen en te stollen. Deze fase is het eigenlijke gieten. De kennis van het bronsgieten bereikte Europa rond 3000 v.C. en China ettelijke eeuwen later.

IJZEREN ZWAARDEN
In de 1e eeuw n.C. werden ijzeren zwaarden gemaakt door verschillende stroken of staven ijzer samen te draaien en te hameren. Deze methode werd wellen genoemd.

SPELDEN EN NAALDEN
Brons kon bewerkt worden tot delicate, kleine voorwerpen zoals spelden en naalden. Het werd ook gebruikt voor grote voorwerpen zoals klokken en standbeelden.

ROMEINSE SPIJKERS
Deze ijzeren spijkers zijn afkomstig uit Romeinse sites in Londen en Schotland.

Een hoefsandaal, voorloper van het hoefijzer. Het was van gietijzer en werd over de hoef vastgebonden

GESMEED OF GEGOTEN?
Smeedijzer is een zuivere vorm van ijzer geproduceerd in een eenvoudige oven als een pasteiachtige klomp die in vorm gehamerd moet worden. Vóór de introductie van de hoogoven in 1300 n.C. was het niet mogelijk om gesmolten ijzer te produceren.

Beugel voor riem

Glad vlak dat tegen de paardehoef kwam

AFRIKAANS IJZER
In sommige delen van Afrika werd in de jaren '30 ijzer nog steeds geproduceerd in eenvoudige ovens. Deze voorwerpen uit Soedan werden gemaakt in kleiovens en in vorm gehamerd.

Een vreemd type gietijzeren schoffel

Punt met weerhaken

PUNTIG
IJzer werd dikwijls gebruikt voor wapens die erg bewerkt konden zijn. Deze speerpunt had een houten schacht.

BRONZEN SIERADEN
Bronzen armbanden werden dikwijls met fijne motieven versierd. Sierhaarspelden hadden soms grote holle knoppen die met tekeningen bedekt waren.

Armband   Haarspeld

IJZEREN HAMER
(rechts)
IJzer wordt reeds eeuwen gebruikt voor hamers. Deze eenvoudige ijzeren hamer uit Soedan is van omstreeks 1930.

IJzeren staven samengebonden voor sterkte

Punt gemaakt van aaneengehamerde stukken ijzer

DECORATIEVE ZWAARDEN
Door middel van wellen verkreeg men een stevige kling die geslepen kon worden, met een mooie, sterke snijrand. De gedraaide ijzeren stroken die de kling vormden, vormden een decoratief patroon.

Afgewerkt zwaard

KLEINE HANDEN? (boven)
Bronzen zwaarden hadden dikwijls decoratieve gevesten en beugels. De gevesten waren dikwijls zeer kort en zijn niet geschikt voor handen die zo groot zijn als de onze.

Maten en gewichten

De eerste systemen van maten en gewichten werden ontwikkeld in het oude Egypte en Babylon. Ze waren nodig om de oogst te wegen, akkers te meten en de commerciële transacties te standaardiseren. Rond 3500 v.C. vonden de Egyptenaren de weegschaal uit. Ze kenden standaardgewichten en een lengtemaat, de el, ongeveer 52 cm. De Code van Hammoerabi, een document met de wetten van de koning van Babylon (1792 - 1750 v.C.), refereert aan standaardgewichten en verschillende gewichts- en lengte-eenheden. Ten tijde van de Grieken en de Romeinen werden weegschalen, balansen en meetlatten dagelijks gebruikt. De hedendaagse Europese systemen van maten en gewichten (meter, gram) werden van kracht in de jaren 1790, het inmiddels verlaten Britse stelsel (voet, pond) in ca. 1300.

Oudegyptische stenen gewichten

Egyptische metalen gewichten

ZWAAR METAAL
De oude Egyptenaren gebruikten stenen als standaardgewichten, maar rond 2000 v.C., toen de metaalbewerking zich ontwikkelde, werden bronzen en ijzeren gewichten gebruikt.

Haak om de last aan te hangen

HUN GEWICHT IN GOUD WAARD
De Asjanti, Afrikanen uit de goudmijnstreek van het huidige Ghana, kwamen aan de macht in de 18e eeuw. Ze maakten standaardgewichten in de vorm van gouden sierstukken.

Vis

Zwaard

Schorpioen

Wijzer

UIT HET EVENWICHT
Deze Romeinse gelijkarmige balans werd gebruikt voor het wegen van munten en bestaat uit een bronzen juk dat in het midden is opgehangen. De voorwerpen die gewogen moesten worden, werden in een schaal gelegd. Deze schaal hing aan de ene kant van het juk en werd afgewogen tegen bekende gewichten in een tweede schaal aan de andere kant. Een wijzer in het midden van het juk gaf aan wanneer beide schalen in evenwicht waren.

Schaal

WEEG HET EENS
Deze oude Egyptische weegschaal wordt hier gebruikt tijdens de ceremonie die "het wegen van het hart" werd genoemd. Deze ceremonie werd verondersteld plaats te vinden na de dood.

Holte om kleinere gewichten in te zetten

GEWICHTIGE GEWICHTEN
Bij eenvoudige balansen werden sets standaardgewichten gebruikt. Je zet er een groter of kleiner gewicht bij of neemt er een af tot de balans horizontaal is. Dit zijn 17e-eeuwse Franse gewichten die allemaal in elkaar passen.

Schaalverdeling in inches en centimeters

DE UNSTER OF WEEGHAAK (rechts)

Bij een unster wordt een gewicht over de lange arm verschoven; de afstand van het steunpunt tot het evenwichtspunt, afgelezen van de schaalverdeling, geeft het gewicht van het voorwerp aan. Voor rondtrekkende kooplui was dit een handig meettoestel: ze hoefden geen grote reeks gewichten mee te sleuren.

Schaalverdeling

Beweegbaar gewicht

OPGEHANGEN

Rond 200 v.C. vonden de Romeinen de unster uit. In tegenstelling tot de eenvoudige balans had de unster een arm die langer was dan de andere. Een graanzak werd aan de korte arm gehangen en een gewichtje werd over de lange arm geschoven tot alles in evenwicht was. Deze unster dateert uit de 17e eeuw.

OP GROTE VOET (rechtsboven)

Deze Britse maatstok werd gebruikt om voeten te meten. De maatstok begint met maat 1 (4,33 inch of 11 cm) en de maten lopen op met 1/3 inch (ca. 0,8 cm).

TOT DE RAND GEVULD (onder)

Vloeistoffen moesten in een recipiënt worden gedaan – zoals deze koperen kan die door een distillateur werd gebruikt – om gemeten te worden. De pegel (het merkteken) is in het smalle gedeelte van de hals aangegeven, zodat men de juiste maat onmiddellijk kan aflezen.

Pegel (merkteken)

BLIJF TROUW AAN JE PRINCIPES

Koning Edward I van Engeland bepaalde in 1305 de eerste officiële standaard-yard. Het was een ijzeren staaf, verdeeld in 3 feet van elk 12 inches. Dit is een 19e-eeuwse meetlat die de kleermakers gebruikten om stukken stof te meten. Deze lat heeft ook een centimeterschaal.

Hier wordt de voet geplaatst

Verstelbare bek

VASTGEKLEMD (rechtsboven)

Schuifmeters die eruitzagen als moersleutels, werden minstens 2000 jaar geleden uitgevonden. Ze werden gebruikt om de breedte van voorwerpen zoals stenen, metalen en houten bouwonderdelen te meten. De maat werd afgelezen op een schaalverdeling op de vaste arm zoals op deze replica van een krompasser uit China.

EEN BEWEEGLIJKE VRIEND (links)

Lintmeters worden gebruikt wanneer de meetlat te stijf is. De lintmeter wordt het meest gebruikt bij het nemen van de maat voor kleding maar veel langere linten worden ook gebruikt.

JUIST IS JUIST

Belangrijk bij maten en gewichten is dat ze gestandaardiseerd zijn. Deze mensen keuren gewichten en vloeistofmaten. Wanneer een meet- of weegwerktuig gekeurd is en er een merkteken op is aangebracht, is het geijkt.

GEWOGEN EN NIET TE LICHT BEVONDEN

Deze Indische graanmaat werd gebruikt voor standaardhoeveelheden losse eenheden. De winkelier verkoopt het graan per maat en weegt de hoeveelheden niet telkens af.

Pen en inkt

RAPPORTEN SCHRIJVEN WERD pas noodzakelijk bij de ontwikkeling van de landbouw in het gebied van de Vruchtbare Halvemaan – het gebied van Israël tot aan de Perzische Golf – in het Midden-Oosten, ca. 7000 jaar geleden. De Babyloniërs en de oude Egyptenaren beschreven stenen, botten en kleitabletten met symbolen en eenvoudige tekeningen. Ze gebruikten deze gegevens om pachtgronden en irrigatierechten vast te leggen, om de oogst bij te houden, om belastingen te bepalen en om rekeningen te maken. In het begin gebruikten ze vuurstenen splinters als schrijfmateriaal, daarna gescherpte stokpunten. Ca. 1300 v.C. maakten de Chinezen en de Egyptenaren inkt van lampzwart (van de in olielampen verbrande olie) vermengd met water en plantehars. Ze konden verschillende kleuren inkt maken met behulp van aardverfstoffen zoals rode oker. Inkten op basis van olie werden in de middeleeuwen ontdekt en gebruikt bij het drukken (blz. 26-27). Schrijfinkt en potloden zijn redelijk moderne uitvindingen. Meer recente ontwikkelingen, zoals vulpen en balpen, werden ontworpen om de inkt op het papier te krijgen zonder telkens de pen te hoeven vullen.

VEDERLICHT
Een ganzepen – de holle schacht van een veer – werd voor het eerst omstreeks 500 v.C. als pen gebruikt.

Gedroogde en schoongemaakte veren van gans, eend of kalkoen waren de meest gebruikte, omdat de schacht de inkt vasthield en de pen gemakkelijk te hanteren was. Het uiteinde werd met een mes in een punt gesneden en licht gespleten om de inkt vloeiend te laten lopen.

ZWARE LECTUUR
De oudst bekende geschreven stukken zijn de Mesopotamische kleitabletten. Met een wigvormige stift maakten schrijvers tekens in de nog natte klei. De klei droogde en er bleef voorgoed een verslag achter. Dit soort tekens wordt spijkerschrift genoemd.

SCHERPSLIJPERS
In het 1e millennium v.C. schreven de Egyptenaren met riethalmen en biezen die zij in een punt sneden. Met rietpen en lampzwart schreven zij op papyrus.

Chinese karakters

PAPYRUS
De oude Egyptische en Assyrische schrijvers schreven op papyrus, gemaakt van de kern of het merg van de papyrusstengel. Het merg werd er uitgehaald, in lagen gelegd en met de hamer bewerkt om een blad te krijgen. De schrijver (links) maakt een verslag over een gevecht. Het papyrus (rechts) komt uit Egypte.

GENIAAL
De oude Chinezen schreven hun karakters in inkt en met penselen van kamele- of rattenharen. Deze penselen bestonden uit plukken haar die aaneengeplakt en aan het eind van een stokje gebonden werden. Voor fijn werk op zijde gebruikten ze penselen met slechts enkele haren die in het uiteinde van een holle rietstengel geplakt waren. Alle 10 090 of meer Chinese karakters zijn gebaseerd op slechts acht penseelstreken.

Inktreservoir voor
oude balpen

Punt van viltstift

ZACHTJES

In de jaren '60 kwamen viltstiften of pennen met zachte punten op de markt. Een staafje absorberend materiaal fungeert als inktreservoir. De punt die in het reservoir steekt, heeft fijne kanaaltjes waardoor de inkt vloeit zodra de punt het papier raakt.

Hefboompje om de pen te vullen

Bolletje

HET BOLLETJE

In Amerika werd in de jaren 1880 de balpen uitgevonden door John H. Loud. De moderne versie was een vondst van Josef en George Biro in de jaren 1940. Aan het uiteinde van een met inkt gevuld plastic buisje zit een metalen bolletje. De inkt vloeit uit het buisje door een smalle opening in het bolletje, waardoor de inkt op het papier komt.

VERSTOPPEN

Ca. 1800 werd in Europa de vulpen uitgevonden. Het inktreservoir was nu een rubberen buisje in een metalen schacht. De inkt was een oplossing van natuurlijke plantaardige kleurstoffen zoals indigo. Als de kleurstoffen niet fijn genoeg vermalen waren, verstopte de inkt de pen. In 1884 vond Edison Waterman de eerste schone vulpen uit.

KROONTJESPENNEN

Pennen die je in de inktpot moest dopen, zoals die in de scholen gebruikt werden tot de jaren '60, bestonden uit een houten steel, een metalen pennehouder en vervangbare pennen. De oude pennen zoals deze waren van staal. Moderne versies hebben dikwijls punten van duurzame metalen zoals osmium of platina.

Papier maken

De oudste stukken papier die ontdekt zijn, werden gevonden in China en dateren van ca. 90 n.C. De kunst van het papiermaken verbreidde zich uiteindelijk via de islamitische wereld over Europa. De basismethode bleef gelijk aan de Chinese. Papier werd gemaakt van houtpulp en vodden die in water geweekt werden en dan tot pulp geslagen werden.

Gescherpte punt

Een reeks pennen voor kroontjespennen

KONINKLIJK

De middeleeuwse schrijvers gebruikten ganzepennen om hun prachtig verluchte manuscripten te maken. Dit voorbeeld vertelt over de kroning van koning Hendrik IV van Castilië in de 15e eeuw. Het laat de delicate trekken zien die mogelijk waren met heel eenvoudig materiaal.

BLAD NA BLAD *(rechts)*

Een schepvorm met een bodem van kopergaas (zeefdoek) en als opstaande zijkanten een afneembare rand (deksel) werd in de brij neergelaten, eruitgehaald en geschud, zodat het water wegliep.

DROGEN

Dan werd de vorm omgekeerd en tegen een lap vilt gedrukt. Het papier werd geperst en daarna te drogen gehangen.

JE BENT ERNAAST

Ganzepennen versleten vlug door het constante krassen op ruw papier of perkament en moesten regelmatig bijgeslepen worden. In de 17e eeuw werden slijpers voor ganzepennen uitgevonden. Het afgesleten gedeelte van de ganzepen werd keurig afgeknipt.

Licht

HET EERSTE KUNSTLICHT kwam van vuur, maar vuur was gevaarlijk en kon moeilijk meegenomen worden. Ongeveer 20 000 jaar geleden realiseerden de mensen zich dat ze door olie te verbranden ook licht kregen, en de eerste lampen ontstonden. Het waren uitgeholde stenen gevuld met dierlijk vet. Lampen met pitten van plantevezels werden het eerst gemaakt rond 1000 v.C. In het begin lag de pit in een eenvoudige gleuf, later in een kokertje. Kaarsen verschenen ongeveer 2000 jaar geleden. Een kaars is een wiek omgeven door was of talk. Wanneer de pit aangestoken wordt, smelt de vlam een deel van de was of talk. Deze verbranding geeft licht. Een kaars is dus eigenlijk een olie-lamp in handiger vorm. Olielampen en kaarsen waren de voornaamste bron van kunstlicht tot het gaslicht in gebruik kwam in de 19e eeuw. Elektrisch licht is van veel recenter datum.

GROTLICHT
Toen onze voorvaderen vuur maakten om te koken en zich te verwarmen, kwamen ze tot de vaststelling dat het vuur ook licht gaf. Het kookvuur was dus het eerste kunstlicht. Het was toen nog maar een kleine stap naar fakkels, zodat het licht gedragen of hoog in de donkere grotten gehangen kon worden.

SCHELPVORMIG *(rechts)*
Een schelp kon gebruikt worden als lamp: men vulde de schelp met olie en legde een pit in de gleuf. Deze schelp-lamp werd gebruikt in de 19e eeuw, maar ze werden eeuwen vroeger reeds gemaakt.

Pit

DURE KAARSEN
De eerste kaarsen werden 2000 jaar geleden gemaakt. Was of talk werd over een hangende pit ge-goten om dan af te koelen. Dergelijke kaarsen waren voor de meeste mensen te duur.

Washouder

Pit

Gleuf voor de wiek

SCHOTELTJES
Aardewerken lampen in de vorm van schoteltjes worden reeds duizenden jaren gemaakt. Ze verbrandden olijfolie of koolzaad. Deze lamp werd waarschijnlijk ongeveer 2000 jaar geleden in Egypte gemaakt.

OVERDEKT
(rechts)
De Romeinen maakten lampen van klei, waar-van de bovenkant dicht was om de olie schoon te houden. Soms hadden ze meer dan één wiek om meer licht te geven.

Gat voor pit

pit

UITGEHOLD *(links)*
De oudste lampvorm is een uitgeholde steen. Deze komt van de Shetland-ei-landen en werd in de vorige eeuw ge-bruikt. Maar gelijksoortige exemplaren zijn gevonden in de grotten van Lascaux in Frankrijk en dateren van on-geveer 15 000 jaar geleden.

GIET-VORMEN
Sinds de 15e eeuw wor-den kaarsen in vormen gegoten. De gietvormen vereenvou-digden het kaarsmaken maar werden pas al-gemeen gebruikt in de 19e eeuw, toen het procédé gemechaniseerd kon worden.

TONDELDROOG

Voor de uitvinding van de lucifers gebruikte men tondeldozen om vuur en lampen aan te steken. Er werd een vonk gemaakt door een vuursteen (aansteker) tegen een stuk metaal (wetstaal) te slaan. Het droge materiaal (tondel) in de doos vatte vuur.

Handvat

Wetstaal

Tondel

Deksel

Kaarshouder

Aansteker

Tondeldoos

635

LICHT UIT

Kegelvormige kaarsesnuiters werden gebruikt om de kaars te doven. Het gaf geen geur en er was weinig kans dat je je verbrandde.

Deksel om het vuur te doven

KORTWIEKEN

Toen meer geavanceerde olielampen ontstonden, werden ingewikkelde werktuigen gemaakt om de wieken af te snijden. Deze wiekschaar knipt de wiek bij en werpt het verkoolde stuk in de houder.

KAARSSTERKTE *(boven)*

Een enkele kaars geeft maar weinig licht, de lichtsterkte is 1 kaars.

BESCHERMER

Lantaarns werden gebruikt om de vlam tegen de wind te beschermen en om brand tegen te gaan.

Handvat om de kaars naar boven te draaien

LICHT EN ZOET

Kaarsen werden ook gemaakt van bijenwas. Deze werd in de vorm van een cilinder rond de pit gerold.

OP STRAAT

De gravure hierboven toont ons het aansteken van de eerste straatlamp in Parijs in 1667. De lantaarnopsteker moest op een ladder klimmen om bij de lamp te kunnen.

GEDRAAID *(links)*

De kandelaar heeft een spiraalmechanisme. Je kunt eraan draaien, wil je de vlam op gelijke hoogte houden als de kaars opbrandt.

De tijd

TIJDSBESEF WERD BELANGRIJK ZODRA de mensen het land begonnen te bewerken. Maar het waren de astronomen van Egypte, ongeveer 3000 jaar geleden, die zich baseerden op de regelmatige beweging van de zon om de tijd scherper te bepalen. De Egyptische schaduwklok was een zonnewijzer. De tijd werd bepaald doordat de schaduw over merktekens viel. Andere toestellen om de tijd te bepalen waren vuurklokken en wateruurwerken. De eerste mechanische klokken maakten gebruik van het regelmatig heen en weer gaan van een metalen staaf, een foliot, die de beweging van een wijzer over een wijzerplaat stuurde. In latere klokken gebruikte men slingers die heen en weer gingen. Het echappement zorgt ervoor dat deze regelmatige beweging wordt overgebracht op de tandwielen die de wijzers doen bewegen.

TRÈS RICHES HEURES
Middeleeuwse gebedenboeken, met beelden van het boerenleven in de verschillende maanden van het jaar, tonen ons hoe belangrijk het seizoen was voor de landbouwers. Dit is een illustratie van de maand maart uit de *Très Riches Heures* van Duc du Berry.

SCHIETLOOD
De Oudegyptische merchet werd gebruikt om de beweging van de sterren te observeren. Hierdoor konden de nachtelijke uren berekend worden. Deze was eigendom van Bes, een astronoom-priester uit ca. 600 v.C.

ZUILVORMIGE ZONNEWIJZER
Deze kleine ivoren zonnewijzer heeft 2 gnomons (staven): een voor de zomer en een voor de winter.

Gaten voor de pin

Opvouwbare gnomon

Deksel

Een draad als gnomon

PRAKTISCHE ZONNEWIJZER
Deze opvouwbare Duitse zonnewijzer (rechts) heeft een draad als gnomon. Deze draad kan verschoven worden voor verschillende klimaatgordels. De kleine schijven geven de tijd aan in Italië en Babylonië. De grote schijf wijst ook de lengte van de dag aan en de positie van de zon in de dierenriem.

TIBETAANSE TIJDSTOK
De Tibetaanse tijdstok werkte met de schaduw van een pin die door een staande stok stak. De pin werd op verschillende plaatsen gestoken naargelang de tijd van het jaar.

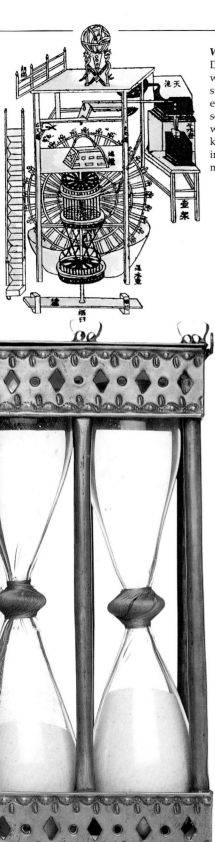

WATERKLOK
De waterklok van Soe Soeng werd gebouwd in 1088. Ze stond in een 10 m hoge toren, en haar werking was gebaseerd op de kracht van een waterrad. Daardoor werden klokken, gongen en trommen in gang gezet die het uur moesten aangeven.

Verschuifbare gewichten

LANTAARNKLOK
Bij deze Japanse lantaarnklok zie je de beweegbare staaf. De klok werd geregeld door kleine gewichten over de staaf te schuiven. Ze heeft maar 1 wijzer die het hele uur aanduidt. De minutenwijzers kwamen er pas in de jaren 1650, toen de Nederlandse wetenschapper Christiaan Huyghens een nauwkeuriger uurwerk maakte dat geregeld werd door een heen en weer bewegende slinger.

CHRISTIAAN HUYGHENS
Deze Nederlandse wetenschapper maakte in het midden van de 17e eeuw het eerste bruikbare slingeruurwerk.

VEERAANDRIJVING
Tot de 15e eeuw werden klokken aangedreven door vallende gewichten en konden ze dus niet verplaatst worden. Het gebruik van een spiraalveer om de wijzers aan te drijven maakte draagbare klokken en horloges mogelijk. Ze waren echter niet erg accuraat. Dit exemplaar dateert uit de 17e eeuw.

PENDULE *(onder)*
Dit type klok werd gemaakt in de 17e eeuw. Dit exemplaar werd vervaardigd door de beroemde Engelse klokkenmaker Thomas Tompion. Het heeft wijzers om het mechanisme te regelen en om stille of slaande werking te kiezen.

SPIRAALUURWERK
In 1675 introduceerde Christiaan Huyghens de balans met spiraalveer. De bewegingen binnen in het uurwerk werden hierdoor veel accurater. Thomas Tompion, de maker van dit uurwerk, introduceerde de balans met spiraalveer in Engeland. Zo kreeg Engeland een leidende positie in het uurwerkmaken.

ALS ZAND DOOR JE HANDEN *(boven)*
De zandloper werd waarschijnlijk voor het eerst gebruikt in de middeleeuwen, omstreeks 1300. Dit is echter een veel recenter exemplaar. Het zand stroomde door een smalle opening tussen twee glazen bollen. Als al het zand in de onderste bol was, was een vastgestelde tijd verstreken.

Energie

MENSEN HEBBEN ALTIJD NAAR ENERGIEBRONNEN gezocht om het werk te vergemakkelijken en efficiënter te maken. In het begin maakten ze menselijke spierkracht doeltreffender door het gebruik van machines zoals kranen en tredmolens. Ze realiseerden zich al vlug dat de spierkracht van dieren zoals paard, os en ezel veel groter was dan menselijke spierkracht. Dieren werden getraind om zware ladingen te trekken en in tredmolens te lopen. Andere bruikbare energiebronnen waren wind en water. De eerste zeilboten werden ongeveer 5000 jaar geleden in Egypte gebouwd. In de 1e eeuw v.C. gebruikten de Romeinen watermolens om hun graan te malen. Waterkracht bleef belangrijk en wordt nu nog wijd en zijd gebruikt. Windmolens verbreidden zich in de middeleeuwen westwaarts over Europa toen de mensen op zoek waren naar een efficiënter manier om graan te malen.

SPIERKRACHT

In de poolstreken worden nog steeds honden gebruikt om sleden te trekken, alhoewel overal elders paarden de meest gebruikte werkdieren waren. Men gebruikte paarden ook om machines zoals slijpstenen en pompen in beweging te houden.

STAN-DERDMOLEN

De oudste windmolens waren waarschijnlijk de standerdmolens of staakmolens. De hele molen kon om zijn centrale as draaien om op de wind gezet te worden. De molen werd van hout gemaakt. Vele molens waren zeer broos en konden in een storm omvergeblazen worden.

TILLEN MAAR

Deze 15e-eeuwse kraan uit Brugge werd in gang gehouden door mensen die in een tredmolen liepen. De kraan verplaatst wijnvaten. Andere eenvoudige machines, zoals hefboom en katrol, waren in die tijd de steunpilaren van de industrie. Er wordt gezegd dat de Griekse wetenschapper Archimedes rond 250 v.C. op zijn eentje een groot schip kon verplaatsen met een katrolsysteem. We weten echter niet hoe hij dit eigenlijk deed.

Kruiwerk

HET EERSTE WATERRAD

We hebben geschriften uit ca. 70 v.C. waarin wordt vermeld dat de Romeinen twee soorten waterraderen gebruikten om graan te malen. Bij het onderslagrad stroomt het water onder het rad door, bij het bovenslagrad stroomt het water eroverheen. Het laatste kan efficiënter zijn omdat er gebruik gemaakt wordt van het gewicht van het water op de schoepen.

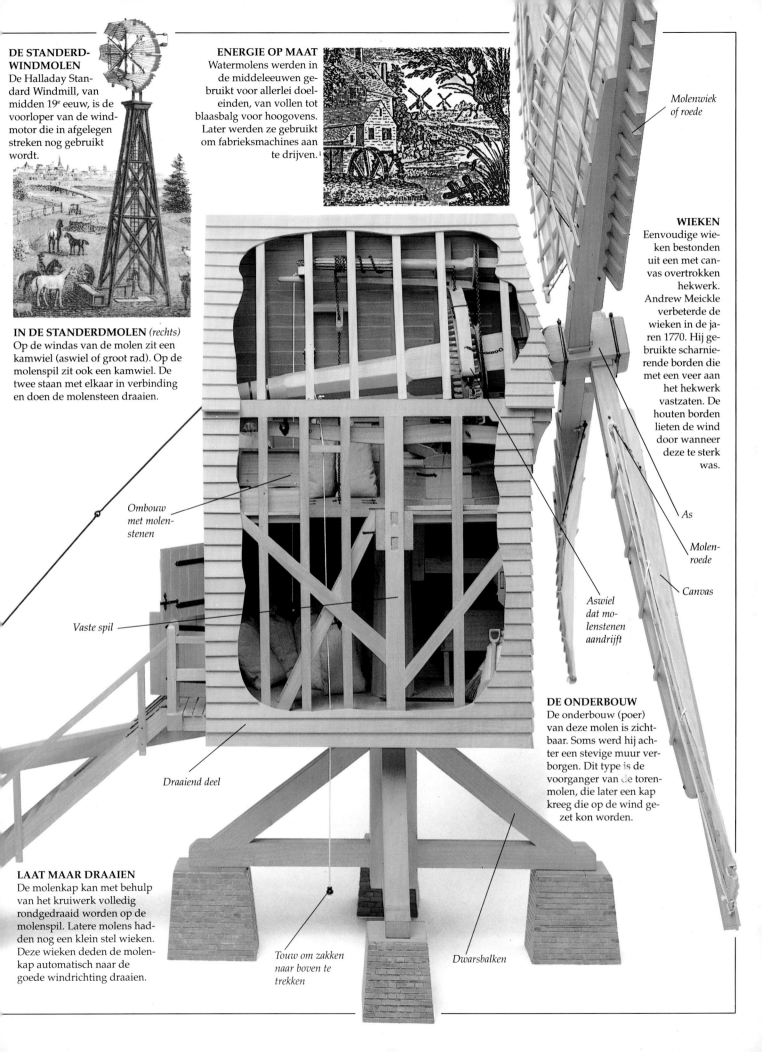

DE STANDERD-WINDMOLEN

De Halladay Standard Windmill, van midden 19e eeuw, is de voorloper van de windmotor die in afgelegen streken nog gebruikt wordt.

ENERGIE OP MAAT

Watermolens werden in de middeleeuwen gebruikt voor allerlei doeleinden, van vollen tot blaasbalg voor hoogovens. Later werden ze gebruikt om fabrieksmachines aan te drijven.

IN DE STANDERDMOLEN *(rechts)*

Op de windas van de molen zit een kamwiel (aswiel of groot rad). Op de molenspil zit ook een kamwiel. De twee staan met elkaar in verbinding en doen de molensteen draaien.

Molenwiek of roede

WIEKEN

Eenvoudige wieken bestonden uit een met canvas overtrokken hekwerk. Andrew Meickle verbeterde de wieken in de jaren 1770. Hij gebruikte scharnierende borden die met een veer aan het hekwerk vastzaten. De houten borden lieten de wind door wanneer deze te sterk was.

As

Molenroede

Canvas

Ombouw met molenstenen

Vaste spil

Aswiel dat molenstenen aandrijft

DE ONDERBOUW

De onderbouw (poer) van deze molen is zichtbaar. Soms werd hij achter een stevige muur verborgen. Dit type is de voorganger van de torenmolen, die later een kap kreeg die op de wind gezet kon worden.

Draaiend deel

LAAT MAAR DRAAIEN

De molenkap kan met behulp van het kruiwerk volledig rondgedraaid worden op de molenspil. Latere molens hadden nog een klein stel wieken. Deze wieken deden de molenkap automatisch naar de goede windrichting draaien.

Touw om zakken naar boven te trekken

Dwarsbalken

De drukkunst

VOOR MEN HET DRUKKEN UITVOND, werd elk boek moeizaam met de hand geschreven. Daarom waren boeken in die tijd schaars en duur. De Chinezen en de Japanners drukten de eerste boeken in de 6e eeuw. Karakters en tekens werden gegraveerd op platen van hout, klei of ivoor. De platen werden met inkt bestreken en dan tegen een vel papier gedrukt. Door het reliëf van de karakters werden de tekens duidelijk weergegeven op het papier. Deze methode wordt blokdruk genoemd. De grootste vooruitgang in de drukkunst was de uitvinding van de losse letter op aparte blokjes die in regels gezet en nadien opnieuw gebruikt konden worden. Deze methode vond haar oorsprong in China in de 11e eeuw. Pas in de 15e eeuw werd ze in Europa toegepast. De belangrijkste pionier op dit gebied was Johannes Gutenberg. Hij vond eind 1430 een methode uit om vlug en goedkoop een groot aantal losse letters te maken. Hierna verspreidde het drukken met losse letters zich snel over Europa.

HET OUDE MODEL
Blokken met slechts één karakter werden het eerst gebruikt in China rond 1040. Dit zijn modellen van een oud Turks type.

LETTERSTAAFJES
Gutenberg gebruikte een harde metalen stempel met een letter erin gegraveerd. Deze werd dan in een zacht metaal geslagen om een matrijs te verkrijgen.

Een letter in metaal geslagen

GOED GEVORMD
Elke matrijs had de afdruk van een letter of een symbool.

Dit oude Japanse houten drukblok bevat een complete passage, gegraveerd op een enkel stuk hout.

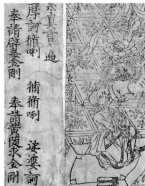

UIT HET OOSTEN
Dit oude Chinese boek werd gedrukt met houten blokken. Elk blok droeg een enkel karakter.

VLOEIBAAR METAAL GIETEN
Met een lepel werd vloeibaar metaal, een legering van tin, lood en antimoon, in de vorm gegoten om zo een letterblokje te verkrijgen.

DE GUTENBERGBIJBEL
In 1455 produceerde Gutenberg het eerste grote gedrukte boek, een bijbel. Dit boek wordt nog steeds beschouwd als een meesterwerk van drukkunst.

LETTERGIETEN
De matrijs werd onder in een gietvorm zoals hierboven geplaatst. De gietvorm werd gesloten en het vloeibaar metaal werd er vanboven ingegoten. De kanten werden geopend om de drukletter vrij te maken.

Hier wordt de matrijs ingebracht

Schroef om blad vast te zetten

Metalen blad

JUSTEREN
De ruwe letters werden met een justeerder afgevijld en afgeslepen om de letters eenzelfde hoogte te geven.

Veer om de vorm dicht te houden

Letterstaafje

Holwit

Hoe de traditionele zethaak in de hand gehouden wordt

SPIEGELSCHRIFT
De vroegere drukkers schikten letterstaafjes tot woorden op een zethaak zoals hierboven. De letters moesten van links naar rechts geschikt worden omdat de afdruk het spiegelbeeld van de zethaak is.

WOORDEN SCHEIDEN
De moderne zethaak hieronder laat duidelijk zien hoe je de lengte van de regel kunt aanpassen door kleine stukjes metaal (holwit) tussen de woorden in te lassen. Deze drukken niet af omdat ze minder hoog zijn dan de letters zelf.

Zetter die letterstaafjes met de hand zet

Verschuifbaar deel om lijnlengte aan te passen

HET ATELIER VAN GUTENBERG
Rond 1438 ontdekte de Duitse goudsmid, Johannes Gutenberg, een methode om losse metalen letters te maken. Drukkers zijn aan het zetten en aan het drukken en bedrukte vellen papier hangen te drogen.

Kooi die de drukvorm op zijn plaats houdt

Drukvorm van een blad

STEVIG VASTGEZET
Wanneer het zetsel klaar was, werd het overgebracht op een galei, een metalen plaat met drie opstaande randen. Deze werd met houten of metalen kooien vastgezet. De drukvorm werd dan in de drukpers gezet, met inkt bestreken en afgedrukt.

Optische uitvindingen

DE OPTISCHE WETENSCHAP gaat uit van het feit dat lichtstralen gebogen worden, of breken, wanneer ze van de ene materie naar de andere gaan (bijvoorbeeld van lucht naar glas). De manier waarop gebogen stukken glas (of lenzen) het licht breken, was reeds in de 10e eeuw n.C. bekend bij de Chinezen. In de 13e en 14e eeuw begon men in Europa de eigenschappen van lenzen te gebruiken om het zicht te verbeteren, en zo ontstonden de brillen. Later gebruikten de mensen spiegels gemaakt van glimmend metaal als hulpmiddel bij het opmaken of kappen. Pas in de 17e eeuw werden krachtigere optische instrumenten gemaakt, die zeer kleine dingen konden vergroten en verre dingen nabij konden brengen. De telescoop ontstond pas aan het begin van die eeuw, en de microscoop werd rond 1650 uitgevonden.

TROEBEL ZICHT

De bril, een paar lenzen om het gezichtsvermogen te verbeteren, is reeds 700 jaar in gebruik. In het begin werd hij alleen gebruikt voor het lezen. Zoals hieronder te zien is, werd hij op de neus geknepen wanneer het nodig was. De bril om bijziendheid te corrigeren werd pas in de jaren 1450 gemaakt.

IN DE VERTE

De telescoop werd waarschijnlijk verschillende keren uitgevonden, telkens als iemand twee lenzen samenhield zoals hierboven en zich realiseerde dat verre voorwerpen groter leken.

GLAZEN OOG

Convexe (bolle) lenzen waren reeds bekend in de 10e eeuw in China, maar voor leesbrillen werden ze waarschijnlijk voor het eerst in Europa gebruikt. Deze 17e-eeuwse leesbril maakt gebruik van convexe lenzen.

17e-eeuwse bril

17e-eeuws glas was dikwijls gekleurd

Met leer overtrokken buis

Lensbeschermer

STERRENKIJKEN

De beroemde Italiaanse wetenschapper en astronoom Galileo Galilei ontdekte de dioptrische telescoop om het heelal te bestuderen. Dit is een voorbeeld van een van de eerste instrumenten van Galilei. Het heeft een convexe lens vooraan en een concave (holle) lens aan de zichtkant.

Concave lens

Convexe lens

EEN GEKLEURDE KIJK

De vroege dioptrische telescopen, zoals dit 18e-eeuws Engels model, gaven een troebel beeld met gekleurde randen, omdat de lenzen de verschillende kleuren licht op een andere manier braken. In 1733 ontwikkelde Chester Moor Hall een lens samengesteld uit twee lenzen van een verschillend soort glas. De kleurverandering van de ene lens werd tegengewerkt door die van de andere.

Oculair

Objectief

ANTONIE VAN LEEUWENHOEK (1632-1723)
De Nederlander Van Leeuwenhoek (links) leerde lenzen te slijpen en maakte eenvoudige microscopen met een kleine in metaal gevatte lens. Hiermee kon hij tot 270 maal vergroten en was hij een van de eersten die de miniatuurnatuur kon bestuderen. Hij beschreef "heel kleine en vreemde diertjes" in druppels vijverwater.

TWEEMAAL ZO GOED
Hierboven ziet u een samengestelde microscoop met niet een maar twee lenzen. Het objectief vergroot het onderwerp, en de oculaire lens vergroot het vergrote beeld.

Lensbeschermer

Lensbeschermer

SPIEGELTJE SPIEGELTJE AAN DE WAND
De spiegelkijker maakt gebruik van een spiegellens. Hierdoor wordt het probleem van chromatische aberratie omzeild en zijn er ook geen lenzen met lange brandpuntsafstand en lange kijkbuizen nodig. Dit model heeft twee spiegels en een oculair.

Scherp-stellings-mechanisme met tandwieloverbrenging

Oogstuk

OP HOOGTE
Aan deze 17e-eeuwse telescoop werd een kwadrant en een schietlood toegevoegd. Ze helpen de astronoom de hoogte van een object in de hemel te meten.

EEN GLUURDER
In de 18e eeuw gebruikte de adel soms een kijker om een oogje op elkaar te houden. Een spiegel in de buis reflecteert de lichtstraal. Zo kon je opzij loeren terwijl het leek alsof je voor je uit keek.

Scherpsteller

18e-eeuwse zak-telescoop

KIJK, WAT IS DAT?
Eenvoudige verrekijkers, zoals deze 19e-eeuwse toneelkijker versierd met paarlemoer en email, bestaan uit twee telescopen naast elkaar. De prismakijker was tegen 1880 reeds uitgevonden. Het prisma, een hoekig stuk glas, brak de lichtstralen zo dat de lengte van de buis verkort kon worden en een betere vergroting verkregen werd in een kleiner instrument.

Rekenen

MENSEN HEBBEN ALTIJD GETELD EN GEREKEND, maar rekenen werd pas echt belangrijk toen men met het kopen en verkopen van goederen begon. Na de vingers waren kleine steentjes de eerste hulpmiddelen bij tellen en rekenen. Zij vertegenwoordigden de getallen van 1 tot 10. Ongeveer 5000 jaar geleden trokken de Mesopotamiërs verschillende rechte voren in de grond en legden daar de steentjes in. Eenvoudige berekeningen konden gemaakt worden door de steentjes van de ene voor naar de andere te verleggen. Later werd in China en Japan op dezelfde manier de abacus gebruikt, een telraam waarbij de rijen kralen de honderdtallen, tientallen en eenheden voorstelden. De volgende stap kwam pas veel later, in de 17e eeuw, met de uitvinding van hulpmiddelen zoals logaritmen, rekenlinialen en eenvoudige mechanische rekenmachines.

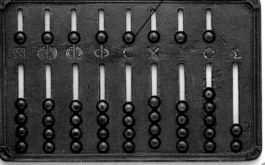

De bovenste kralen hebben 5 maal de waarde van de onderste kralen

HET GEBRUIK VAN DE ABACUS
Ervaren gebruikers kunnen zeer snel rekenen met de abacus. Daarom ook is het gebruik van de abacus populair gebleven in China en Japan, zelfs in de eeuw van de elektronische rekenmachine.

ZAKREKENMACHINE
De oude Romeinen gebruikten een telraam dat leek op de Chinese abacus. Het had 1 kraal aan elke bovenste staaf. Deze kralen stonden voor 5 maal de waarde van de kralen aan de onderkant van de staaf. Dit is een voorbeeld van een kleine koperen Romeinse abacus.

HET TELRAAM
Bij de Chinese abacus zijn er 5 kralen aan de onderkant van elke staaf, zij zijn gelijk aan 1. Er zijn 2 kralen aan de bovenkant van elke staaf, zij zijn gelijk aan 5. De gebruiker verschuift de kralen bij het tellen. De abacus wordt in China nog steeds gebruikt.

KEIHARD ONDERHANDELEN
Vlugge berekeningen maken werd zeer belangrijk in de middeleeuwen toen kooplui in heel Europa handel dreven. De koopman op dit Vlaamse schilderij telt de gewichten van een aantal gouden muntstukken op.

Inkepingen

DE REKENING
De cijfers werden bijgehouden op kerfstokken door middel van inkepingen. De stok werd dan overlangs in tweeën gespleten, door de inkepingen heen, zodat beide partijen hun rekening hadden.

HET GEBRUIK VAN LOGARITMEN
Om twee getallen te vermenigvuldigen moet men alleen hun logaritmen optellen. De rekenliniaal, met zijn naast elkaar liggende schaalverdelingen, maakt gebruik van dit principe.

Parallelle schalen

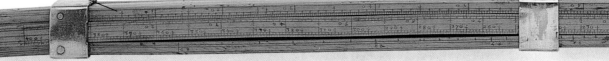

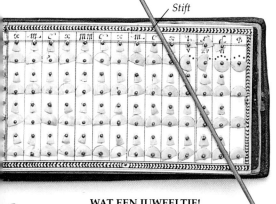

Stift

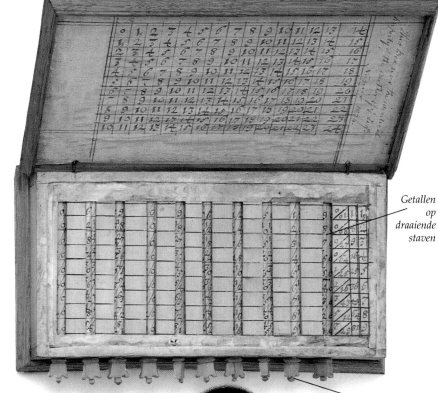

Getallen
op
draaiende
staven

WAT EEN JUWEELTJE!
Dit 'rekenkundig' juweel werd
in 1616 door William Pratt gemaakt en is een hulpmiddel voor optellen en aftrekken. Met een stift werden
genummerde wieltjes verschoven.
Het was gemaakt van koper en
ivoor en zal zeker wel voor een
rijk persoon geweest zijn.

ALTIJD PARAAT
Dit toestel gebruikt het principe
van Napiers logaritmen maar de
cijfers zijn op draaiende staven
gegraveerd. Hierdoor was er
minder kans delen kwijt te raken.

Schroeven om de staven te draaien

DE REKENMACHINE
VAN PASCAL
Pascal ontwikkelde zijn rekenmachine in 1642 om zijn vader,
die belastingambtenaar was, te
helpen. De machine bestond uit
een aantal tandwielen met getallen. De getallen die opgeteld
of afgetrokken moesten worden,
werden gedraaid en de oplossing verscheen in de gaten.

NAPIERS VONDST
Deze staven hadden cijfers van 1 tot 9 aan één kant. Ze werden
uitgevonden door John Napier in het begin van de 17e eeuw. De
cijfers op de zijkant van de staven waren veelvouden van de
eindcijfers. Om het veelvoud van een getal x te vinden, werden
de staven met een x naast elkaar gelegd. Het antwoord vond je
dan door de aanpalende getallen op te tellen.

Hier verschijnen
de antwoorden

De cijfers worden
hier gedraaid

Blaise Pascal

De stoommachine

De stoommachine van Heroon van Alexandrië

DE STOOMKRACHT HEEFT MENSEN honderden jaren lang gefascineerd. In de 1e eeuw n.C. realiseerden Griekse wetenschappers zich dat stoom energie bevat die misschien door de mens gebruikt kon worden. Maar de oude Grieken gebruikten geen stoomkracht voor hun machines. De eerste stoommachines werden ontworpen op het einde van de 17e eeuw door ingenieurs als de markies van Worchester en Thomas Savery. De machine van Savery was bedoeld om water uit de mijnen te pompen. De eerste echt praktische stoommachine werd ontworpen door Thomas Newcomen en kwam op de markt in 1712. De Schotse instrumentenmaker James Watt verbeterde de machine verder. Zijn machines condenseerden de stoom buiten de hoofdcilinder. Doordat de cilinder niet telkens verwarmd en dan weer afgekoeld moest worden, bezuinigde men op warmte. De machines maakten ook gebruik van stoom om de zuiger naar beneden te drukken en zo efficiënter te werken. De nieuwe machine werd al vlug een belangrijke energiebron voor fabrieken en mijnen. Latere ontwikkelingen omvatten ook de compacter hogedrukmotor die gebruikt werd in locomotieven en schepen.

Parallelle beweging

Cilinder

Zuigerstang

GRIEKSE STOOMENERGIE
In de 1e eeuw n.C. ontdekte de Griekse wetenschapper Heroon van Alexandrië de aeolipile, een eenvoudige stoommachine die gebruik maakte van het principe van de straalaandrijving. Water werd gekookt in de bol en de stoom kwam uit gebogen pijpen die eraan vastzaten. Dit deed de bal ronddraaien. Het ontwerp werd niet voor praktische doeleinden gebruikt.

Kleppen

Uitlaatpijp naar condensator

Luchtpomp

Waterreservoir met condensator en luchtpomp

WATER POMPEN
Thomas Savery (ca. 1650-1715) nam in 1698 een patent op een machine die water uit de mijnen pompte. De stoom van een heetwaterketel ging naar een paar vaten. De stoom werd dan weer gecondenseerd tot water, en zoog water op uit de eronder liggende mijn. Met behulp van afsluitkranen en kleppen werd de stoomdruk zo geregeld dat het water door een verticale afvoerbuis omhoog werd gestuwd. In 1712 ontwierp Thomas Newcomen (1663-1729) een verbeterd model.

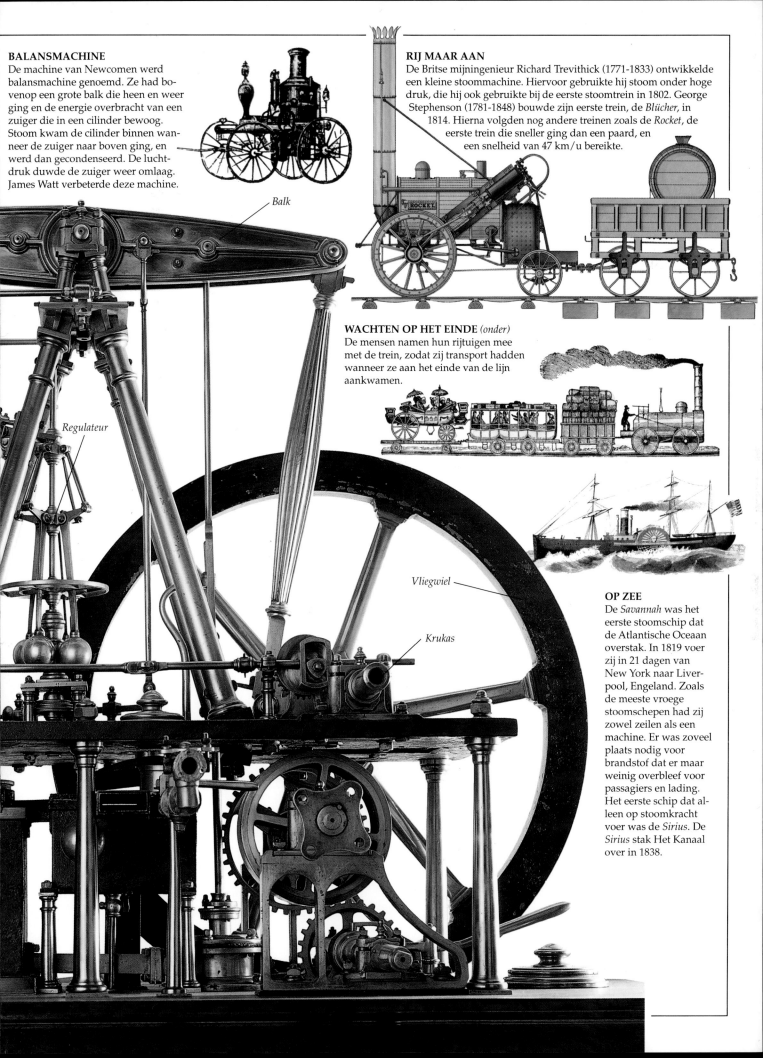

BALANSMACHINE

De machine van Newcomen werd balansmachine genoemd. Ze had bovenop een grote balk die heen en weer ging en de energie overbracht van een zuiger die in een cilinder bewoog. Stoom kwam de cilinder binnen wanneer de zuiger naar boven ging, en werd dan gecondenseerd. De luchtdruk duwde de zuiger weer omlaag. James Watt verbeterde deze machine.

Balk

RIJ MAAR AAN

De Britse mijningenieur Richard Trevithick (1771-1833) ontwikkelde een kleine stoommachine. Hiervoor gebruikte hij stoom onder hoge druk, die hij ook gebruikte bij de eerste stoomtrein in 1802. George Stephenson (1781-1848) bouwde zijn eerste trein, de *Blücher*, in 1814. Hierna volgden nog andere treinen zoals de *Rocket*, de eerste trein die sneller ging dan een paard, en een snelheid van 47 km/u bereikte.

WACHTEN OP HET EINDE (onder)

De mensen namen hun rijtuigen mee met de trein, zodat zij transport hadden wanneer ze aan het einde van de lijn aankwamen.

Regulateur

Vliegwiel

Krukas

OP ZEE

De *Savannah* was het eerste stoomschip dat de Atlantische Oceaan overstak. In 1819 voer zij in 21 dagen van New York naar Liverpool, Engeland. Zoals de meeste vroege stoomschepen had zij zowel zeilen als een machine. Er was zoveel plaats nodig voor brandstof dat er maar weinig overbleef voor passagiers en lading. Het eerste schip dat alleen op stoomkracht voer was de *Sirius*. De *Sirius* stak Het Kanaal over in 1838.

Navigatie en kartering

Hoe meer de mensen per boot reisden, hoe belangrijker de navigatie werd. Het navigeren ontstond waarschijnlijk 5000 jaar geleden op de Nijl en de Eufraat toen de Egyptenaren en de Babyloniërs handelsroutes uitstippelden. De Egyptenaren waren ook pioniers in het karteren, noodzakelijk om grote gebouwen zoals de piramides te ontwerpen. Navigatie en kartering zijn verwant omdat ze beide te maken hebben met het meten van hoeken en het berekenen van grote afstanden. Sinds ongeveer 500 v.C. werden astronomie, geometrie en trigonometrie als wetenschappen aanvaard, eerst door de Grieken, daarna door de Arabieren en tenslotte door de Indianen. Zij ontwikkelden instrumenten als het astrolabium en het kompas. Omdat zij de bewegingen van de hemellichamen en de relatie tussen hoeken en afstanden begrepen, waren de middeleeuwse zeelieden in staat een systeem van lengten en breedten te bepalen, waardoor zij de weg op zee vonden zonder oriëntatiepunten op het land. De Romeinen begonnen met het gebruik van nauwkeurige instrumenten voor landmeetkunde en renaissance architecten droegen hun steentje bij met de theodoliet, ons belangrijkste landmeetkundige instrument.

Chinees zeevaarderskompas

Engels kompas

IN DE GOEDE RICHTING
Magnetische kompassen werden in Europa reeds gebruikt tegen 1200 n.C. Er wordt echter verondersteld dat de Chinezen 1000 jaar eerder hadden ontdekt dat een opgehangen magneet (een magnetische ijzernaald) altijd noord-zuid aanwijst.

Stenen die aan gekruiste stokken hangen die rechte hoeken met elkaar maken

RECHTE HOEK *(boven)*
Vroege landmeetkundige instrumenten zoals de Egyptische groma waren alleen bruikbaar op vlak terrein en voor het uitzetten van een beperkt aantal hoeken. Met de groma konden verre objecten afgetekend worden tegen de positie van de stenen in een horizontaal vlak.

Handvat

REK HEM UIT
Koorden, kettingen, linten en stokken, het werd allemaal gebruikt voor het meten van afstanden. Rond 1620 ontwikkelde Edmund Gunter dit type metalen ketting om stukken grond af te bakenen. De ketting is 20 m lang en bestaat uit 100 schakels. Op regelmatige afstanden zijn tekens aangebracht.

Koperen teken

Centrale arm

OCTANT
In de jaren 1730 ontwikkelde de Engelse zeevaarder John Hadley de octant. Dit model is uit ca. 1750. Daardoor konden de zeevaarders de zon, de maan en de sterren schieten zodat zij hun positie konden bepalen.

Schakel

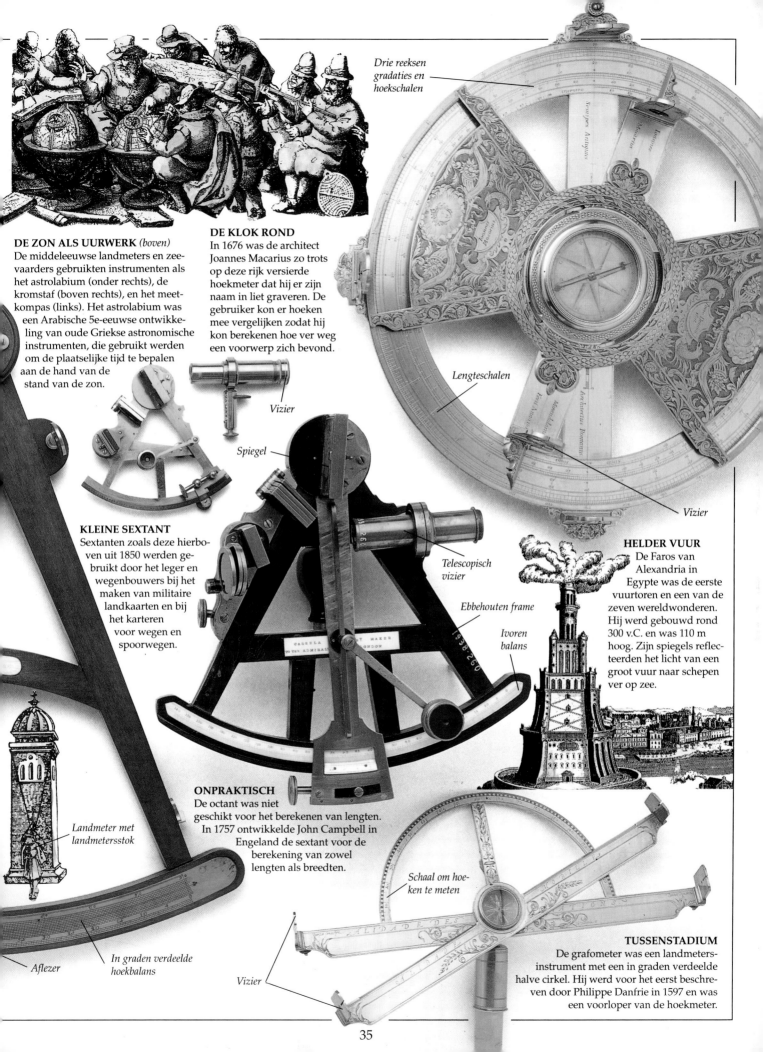

Drie reeksen gradaties en hoekschalen

Lengteschalen

Vizier

DE ZON ALS UURWERK *(boven)*
De middeleeuwse landmeters en zee-vaarders gebruikten instrumenten als het astrolabium (onder rechts), de kromstaf (boven rechts), en het meet-kompas (links). Het astrolabium was een Arabische 5e-eeuwse ontwikke-ling van oude Griekse astronomische instrumenten, die gebruikt werden om de plaatselijke tijd te bepalen aan de hand van de stand van de zon.

DE KLOK ROND
In 1676 was de architect Joannes Macarius zo trots op deze rijk versierde hoekmeter dat hij er zijn naam in liet graveren. De gebruiker kon er hoeken mee vergelijken zodat hij kon berekenen hoe ver weg een voorwerp zich bevond.

Vizier

Spiegel

KLEINE SEXTANT
Sextanten zoals deze hierbo-ven uit 1850 werden ge-bruikt door het leger en wegenbouwers bij het maken van militaire landkaarten en bij het karteren voor wegen en spoorwegen.

Telescopisch vizier

Ebbehouten frame

Ivoren balans

HELDER VUUR
De Faros van Alexandria in Egypte was de eerste vuurtoren en een van de zeven wereldwonderen. Hij werd gebouwd rond 300 v.C. en was 110 m hoog. Zijn spiegels reflec-teerden het licht van een groot vuur naar schepen ver op zee.

ONPRAKTISCH
De octant was niet geschikt voor het berekenen van lengten. In 1757 ontwikkelde John Campbell in Engeland de sextant voor de berekening van zowel lengten als breedten.

Landmeter met landmetersstok

Schaal om hoe-ken te meten

Aflezer

In graden verdeelde hoekbalans

Vizier

TUSSENSTADIUM
De grafometer was een landmeters-instrument met een in graden verdeelde halve cirkel. Hij werd voor het eerst beschre-ven door Philippe Danfrie in 1597 en was een voorloper van de hoekmeter.

Spinnen en weven

Onze voorouders gebruikten dierevellen om zich warm te houden, maar zo'n 10 000 jaar geleden leerde de mens stoffen maken. Wol, katoen, vlas of hennep werd eerst met behulp van een spoel tot een dunne draad gesponnen. De draad werd dan tot stof geweven. De oudste weefgetouwen bestonden waarschijnlijk alleen maar uit een paar stokken met evenwijdige draden, de schering, terwijl de dwarsdraad, de inslag, er doorgeweven werd. Later hadden weefgetouwen stokken die de draden uit elkaar hielden zodat de inslag eenvoudiger was. Een stuk hout, de schietspoel, waaraan een klos draad hing, werd door de draden heen geweven. Het basisprincipe van spinnen en weven is hetzelfde gebleven, ofschoon gedurende de industriële revolutie van de 18e eeuw verschillende manieren uitgevonden werden om het proces te automatiseren. Bij nieuwe machines konden vele draden tegelijkertijd geweven worden, en met behulp van bijvoorbeeld schietspoelen konden brede stukken stof zeer snel geweven worden.

STOFFEN MAKEN IN DE MIDDELEEUWEN
Omstreeks 1300 n.C. werd een verbeterd weefgetouw vanuit India in Europa ingevoerd. Het werd het horizontale weefgetouw genoemd en had een geraamte van draden om de schering te scheiden. De schietspoel werd met de hand bediend.

OUDE SPINDEL
Spindels als deze werden met de hand gedraaid om de vezels te spinnen. Ze hingen zo dat de vezels tot draad getrokken konden worden. Dit exemplaar werd in 1921 bij opgravingen te Tel el Amarna in Egypte gevonden.

Geleidedraad

Wol

Houten wiel

THUIS SPINNEN
Rond 1200 n.C. kwam het spinnewiel vanuit India naar Europa en versnelde het hele spinproces. Het wiel werd met de rechterhand gedraaid, terwijl een stuk wol, dat aan de reeds gesponnen draad hing, met de linkerhand uitgetrokken werd.

HET SPINNEWIEL
Dit type spinnewiel, het grote spinnewiel, werd in Europa thuis gebruikt tot ongeveer 200 jaar geleden. Het gaf een zeer fijne draad van gelijke dikte.

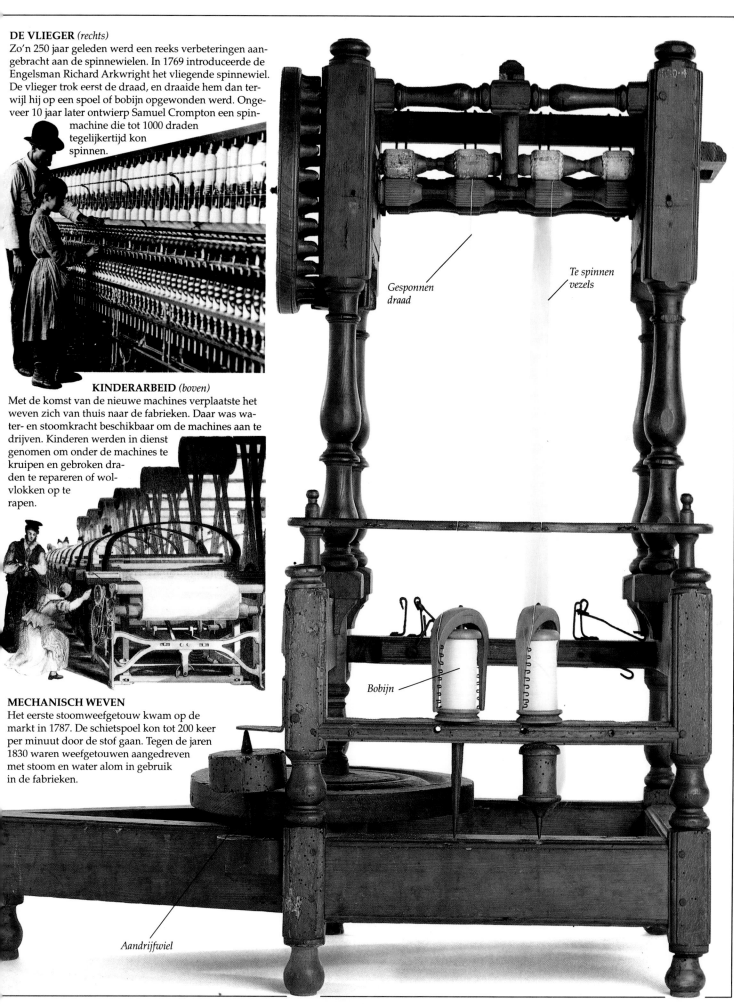

DE VLIEGER *(rechts)*
Zo'n 250 jaar geleden werd een reeks verbeteringen aangebracht aan de spinnewielen. In 1769 introduceerde de Engelsman Richard Arkwright het vliegende spinnewiel. De vlieger trok eerst de draad, en draaide hem dan terwijl hij op een spoel of bobijn opgewonden werd. Ongeveer 10 jaar later ontwierp Samuel Crompton een spinmachine die tot 1000 draden tegelijkertijd kon spinnen.

KINDERARBEID *(boven)*
Met de komst van de nieuwe machines verplaatste het weven zich van thuis naar de fabrieken. Daar was water- en stoomkracht beschikbaar om de machines aan te drijven. Kinderen werden in dienst genomen om onder de machines te kruipen en gebroken draden te repareren of wolvlokken op te rapen.

MECHANISCH WEVEN
Het eerste stoomweefgetouw kwam op de markt in 1787. De schietspoel kon tot 200 keer per minuut door de stof gaan. Tegen de jaren 1830 waren weefgetouwen aangedreven met stoom en water alom in gebruik in de fabrieken.

Gesponnen draad

Te spinnen vezels

Bobijn

Aandrijfwiel

Batterijen

De GRIEKSE WIJSGEER EN WISKUNDIGE Thales verkreeg meer dan 2000 jaar geleden een elektrische vonk door met een doek over barnsteen, een geel gesteente gevormd uit het hars van reeds zeer lang vergane bomen, te wrijven. Maar het duurde nog lang voor de mensen erin slaagden deze energie in een batterij, een instrument om een regelmatige elektrische stroom te geven, op te slaan. In 1800 publiceerde Alessandro Volta (1745-1827) de gegevens over de eerste batterij. De batterij van Volta produceerde elektriciteit door middel van een chemische reactie tussen bepaalde oplossingen en metalen elektroden. Andere wetenschapsmensen, zoals John Frederic Daniell (1790-1845), verbeterden het ontwerp van Volta door verschillende materialen voor de elektroden te gebruiken. De hedendaagse batterijen hebben hetzelfde basisontwerp maar gebruiken moderne materialen.

BLIKSEMFLITS
In 1752 liet de Amerikaanse uitvinder Benjamin Franklin een vlieger op tijdens een onweer. Elektriciteit gleed langs de natte draad en gaf een kleine vonk, waarmee bewezen was dat bliksemschichten kolossale elektrische vonken waren.

DIERLIJKE ELEKTRICITEIT
Luigi Galvani (1737-1798) ontdekte dat de poten van dode kikvorsen schokten als ze met metalen staven werden aangeraakt. Hij dacht dat de poten "dierlijke elektriciteit" bevatten. Dieren produceren elektriciteit, maar het schokken van de kikvorspoten werd waarschijnlijk veroorzaakt door de metalen staven en de vochtigheid in de poten, die samen een enkelvoudige galvanische cel vormden.

Metalen elektroden

Vilten lapjes

ZUIL VAN VOLTA (boven)
De batterij of zuil van Volta bestond uit een opeenstapeling van afwisselend een zinken schijfje, waarop een vilten lapje in verdund zwavelzuur gedrenkt, daarop weer een koperen plaatje, dan weer een zinken en eindigend met een zinken. De elektriciteit stroomde door een draad die bovenste en onderste schijf met elkaar verbond. Een elektrische eenheid, de "volt", is naar Volta genoemd.

Ruimte voor zwavelzuur of een andere oplossing

Zinken plaat   *Handvatten om zinken platen eruit te nemen*   *Koperen plaat*

1899-45

CHEMIE IN EEN TROG
Om hogere voltages en dus meer elektrische stroom te krijgen, werden vele cellen met elkaar verbonden. Elke cel bestond uit een paar elektroden van verschillende metalen. De gewone galvanische batterij bestaat uit koperen en zinken elektroden in verdund zwavelzuur. De Engelse uitvinder Cruikshank ontwikkelde deze 'trog'-batterij in 1800. De metalen platen waren aan elkaar gesoldeerd en in spleten in een houten geraamte gelijmd. Het frame werd dan gevuld met verdund zwavelzuur of een oplossing van ammoniumchloride.

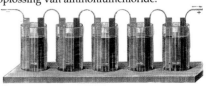

ONDERDOMPELEN EN UITDROGEN
Rond 1807 ontwierp de Engelse chemicus W.H. Wollaston een batterij zoals hierboven. Zinken platen werden gemonteerd tussen de armen van U-vormige koperen platen, zodat beide kanten van de zinken plaat gebruikt werden. De zinken platen werden uit de elektrolyt genomen wanneer de batterij niet in gebruik was, dit om zink te sparen.

BETROUWBARE ELEKTRICITEIT

Het galvanisch element van Daniell was de eerste betrouwbare elektriciteitsbron. Het gaf regelmatig en redelijk lang stroom. De batterij had een koperen elektrode die in een kopersulfaatoplossing en een zinken elektrode die in zwavelzuur gedompeld was. De vloeistoffen werden door een poreuze pot gescheiden.

Poreuze pot

Koperen kan die als elektrode fungeert

Contactpool

DE BATTERIJ VAN GASSNER (links)

De chemicus Carl Gassner ontwierp een 'droge' batterij. Hij gebruikte een zinken omhulsel voor de negatieve elektrode (kathode) en een koolstofstaaf voor de positieve elektrode (anode). Tussen deze twee zat een pasta van een oplossing van ammoniumchloride en gebrand gips.

OPLAADBARE BATTERIJEN

De Franse wetenschapper Gaston Planté was de pionier van de lood-zwavelzuuraccu die herladen kon worden. Zijn elektroden van lood en loodoxyde stonden in puur zwavelzuur.

Zinken staafelektrode

BLUBBLUB (rechts)

Sommige batterijen gebruikten geconcentreerd salpeterzuur maar ze gaven te veel giftige gassen af. Om dit te voorkomen werd in 1850 de bichromaatbatterij ontworpen. Deze bestond uit een glazen fles gevuld met chroomzuur en de elektroden waren van zink en koolstof.

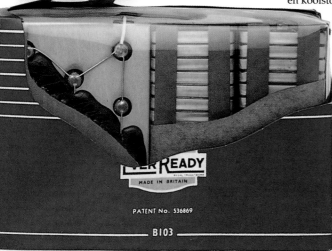

STROOMCONVECTOR (links)

De zgn. droge batterij bestaat uit een vochtige elektrolytpasta in een zinken container die fungeert als een elektrode. De andere elektrode is een koolstofstaaf in het midden van de cel. Kleine moderne batterijen gebruiken verschillende materialen voor de elektroden. Kwikbatterijen waren de eerste droge batterijen met lange levensduur. Sommige batterijen gebruiken lithium, het lichtste metaal. Ze worden ook gebruikt in pacemakers.

Fotografie

Door de uitvinding van de fotografie waren duidelijke beelden van om het even welk onderwerp voor het eerst beschikbaar. De fotografie ontstond uit een combinatie van optiek (zie blz. 28) en chemie. De projectie van het zonnebeeld op een scherm werd in de 9e eeuw door Arabische astronomen reeds onderzocht, en door de Chinezen voor hen. Tegen de 16e eeuw maakten artiesten als Canaletto reeds gebruik van lenzen en een camera obscura om hun tekeningen exacter te maken. In 1752 merkte Johann Heinrich Schulze, een Duitse hoogleraar in de anatomie, op dat een oplossing van zilvernitraat in een fles zwart werd wanneer ze in de zon stond. In 1827 werd een metalen plaat met lichtgevoelig materiaal bestreken en ontstond een blijvend zichtbaar beeld van een voorwerp.

CAMERA OBSCURA
De camera obscura (Latijn voor donkere kamer) was in het begin alleen maar een verdonkerde kamer of een grote doos met een kleine opening aan de voorkant en een scherm of muur aan de achterkant waarop beelden werden geprojecteerd. Vanaf de 16e eeuw werd in plaats van een kijkgaatje een lens gebruikt.

HET SCHEELDE NIET VEEL
De Engelsman William Henry Fox Talbot vond tegen 1841 de kalotype uit. Dit is een oud voorbeeld. Het was een verbeterde versie van een procédé dat hij twee jaar voordien had aangekondigd, slechts enkele dagen na de uitvinding van Daguerre. Het gaf een negatief beeld waarvan positieven gedrukt konden worden.

Daguerreotype

Joseph Nicéphore Niepce maakte de eerste blijvende fotografische beelden. In 1827 bedekte hij een tinnen plaat met bitumen en belichtte deze in een camera. Waar licht kwam, verhardde het bitumen. De niet-verharde delen werden opgelost waardoor een zichtbaar beeld overbleef. In 1839 ontwikkelde Louis Jacques Daguerre een beter fotografisch proces, de daguerreotype of zilverplaatfotografie.

Lensbeschermer

HET BELICHTEN VAN DE PLAAT (onder)
Bij sommige zilverplaatcamera's werd het te fotograferen beeld door een opening in de achterkant van het camerahuis bekeken. Vervolgens werd de beschermde fotografische plaat op haar plaats geschoven. De lens- en plaatbeschermer werden weggenomen om de plaat te belichten en dan weer teruggeplaatst.

Lens met focuscontrole

Plaathouder

Opvouwbare daguerreotype-camera

DAGUERREOTYPE
Op een verzilverde koperen plaat liet men jodiumdampen inwerken zodat zich een dunne laag van lichtgevoelig zilverjodium vormde. De beelden werden, na belichting in de camera, aan de inwerking van kwikdampen blootgesteld en aldus ontwikkeld, waarna ze met een sterke gewone zoutoplossing gefixeerd werden.

Lensopeningringen

INSTELLEN
Door gebruik te maken van ineenpassende objectieven en diafragmaringen om de lensopening aan te passen – zoals bij deze opvouwbare daguerreotype-camera uit de jaren 1840 – werd het mogelijk om onder verschillende lichtcondities te fotograferen.

Lenzen en toebehoren

ZWARE LADING
Met het eerste fotografische procédé konden geen vergrotingen gemaakt worden. Men gebruikte grote glazen platen voor grote foto's. De hele uitrusting kon meer dan 50 kg wegen, inclusief een donkere tent voor het controleren van de natte platen tijdens de belichting, water, chemicaliën en platen.

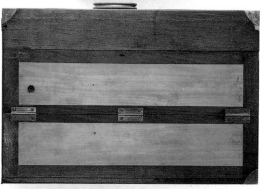

De natte plaat

Vanaf 1839 concentreerden de fotografiepioniers zich op het gebruik van zilverzout als lichtgevoelig materiaal. In 1851 ontwikkelde Frederick Scott Archer een glazen fotografische plaat die veel lichtgevoeliger was dan haar voorgangers. Zij registreerde zeer gedetailleerde negatieve beelden met een belichtingstijd van minder dan 30 seconden. De plaat was bedekt met een chemische oplossing, werd in de camera geplaatst en belicht terwijl ze nog nat was. Het was wel een smerige boel maar de resultaten waren zeer goed.

Chemicaliën voor het natte-plaat-procédé

Natte-plaatnegatief

Plaathouder

CHEMICALIËN *(rechtsboven)*
Een natte plaat bestond uit een glazen blad bedekt met zilverzout en kleverig spul, collodium genaamd. Ze werd meestal ontwikkeld met pyrogalluszuur en gefixeerd met natriumthiosulfaat (fixeerzout). De chemicaliën waren verkrijgbaar in kleine flesjes.

'K ZIE HEM, 'K ZIE HEM NIET
Deze natte-plaatcamera stond op een drievoet. De achterkant, waar de plaat ingeschoven werd, kon naar voren en naar achteren geschoven worden. Hierdoor kon men het beeld vergroten of verkleinen en een zeer duidelijke foto bekomen. Het in focus brengen gebeurde via een knop aan de lensbuis.

Moderne fotografie

In 1870 werden platen met droge gelatine bestreken en bedekt met zeer lichtgevoelig zilverbromide. Al vlug vond men gevoeliger fotografisch papier uit waardoor meerdere afdrukken vlug en gemakkelijk in een donkere kamer gemaakt konden worden. In 1888 bracht de Amerikaan George Eastman een kleine lichtgewicht camera op de markt. Deze camera gebruikte filmrolletjes.

VERBORGEN CAMERA *(rechts)*
Rond de jaren '20 hielden Duitse fabrikanten van optische instrumenten, zoals Carl Zeiss, zich bezig met het ontwerpen van kleine precisiecamera's. Dit Exakta model uit 1937, een eenlenzige reflexcamera, is in zekere mate de voorloper van een hele generatie moderne camera's.

Filmoproller

Beeldzoeker

Filmoproller

Lens Eenlenzige reflexcamera

FOTOGRAFIE VOOR IEDEREEN
In het begin van de 20e eeuw ontwikkelde Eastman de goedkope Brownie boxcamera (rechts), en de amateurfotografie ontstond. Telkens als een foto genomen werd, kon men de film verder draaien, klaar voor het volgende kiekje.

FILMROLLEN
De eerste filmrol van Eastman bestond uit een lange dunne reep papier waarvan de negatieve laag werd afgenomen en op glasplaten gelegd voor het afdrukken. In 1889 kwamen de celluloidfilms op de markt. De lichtgevoelige emulsie was op een doorzichtige basis gestreken, zodat het afnemen van deze laag niet meer nodig was.

Geneeskunde

MENSEN HEBBEN ALTIJD EEN OF ANDERE vorm van geneeskunde bedreven. Vroeger gebruikten de mensen kruiden om ziekten te bestrijden. Er zijn prehistorische schedels met ronde boorgaten gevonden: deze gaten werden waarschijnlijk geboord met een trepaan, een schedelboor. De oude Grieken gebruikten deze methode om druk op de hersenen te verminderen na ernstige hoofdverwondingen. De oude Chinezen beoefenden acupunctuur, het inbrengen van naalden in een deel van het lichaam om pijn of ziektesymptomen te verlichten in een ander deel van het lichaam. Tot ver in de 19e eeuw verschilden de chirurgische instrumenten vrijwel niet van de eerste – scalpel, forceps, verschillende haken, zagen en andere instrumenten om amputaties te verrichten of tanden te trekken. De eerste diagnose-instrumenten werden ontworpen tijdens de renaissance in Europa als gevolg van het pionierswerk van wetenschapsmensen zoals Leonardo da Vinci en Andreas Vesalius. In de 19e eeuw ontwikkelde de geneeskunde zich zeer snel. Veel instrumenten die nu nog gebruikt worden, van stethoscoop tot tandheelkundige boor, werden in die tijd ontworpen.

Stoomketel

Carbolhouder

EEN PRIK
Injectiespuiten werden voor het eerst gebruikt in India, China en Noord-Afrika. Nu bestaan injectiespuiten uit een holle glazen of een plastic reservoir en een holle naald. Pas rond 1850 werd door de Franse chirurg Charles Gabriel Pravaz een injectiespuit met een scherpe holle naald gebruikt om medicijnen in te spuiten.

Soepele rubberbuis

Porseleinen tanden

Mondstuk dat geplaatst wordt over de mond van de patiënt. Het heeft kleppen waardoor hij in en uit kan ademen.

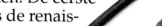

PIJNSTILLEND OF VERDOVEND
In 1846 vond men de narcose uit. Voor die tijd werd de heelkundige ingreep uitgevoerd terwijl de patiënt bij bewustzijn was en dus pijn kon voelen. Om de pijn te verlichten werd lachgas, ether of chloroform gebruikt. De dampen werden via een gezichtsmasker ingeademd.

Veer

Ivoren ondergebit

JE ZULT NIETS VOELEN
Rond 1850 gebruikten de tandartsen verdovingsmiddelen om de pijn te verzachten. In de jaren 1860 verscheen de eerste tandheelkundige boor.

BOOR MAAR DOOR
De tandheelkundige boor van Harrington (rechts) dateert van rond 1864. Volledig opgewonden kon zij gedurende 2 minuten werken.

Boorpunt

WAT EEN HAP (boven)
Het eerste volledige kunstgebit zoals het nu nog gebruikt wordt, werd in Frankrijk in de jaren 1780 gemaakt. Dit kunstgebit dateert uit ca. 1860.

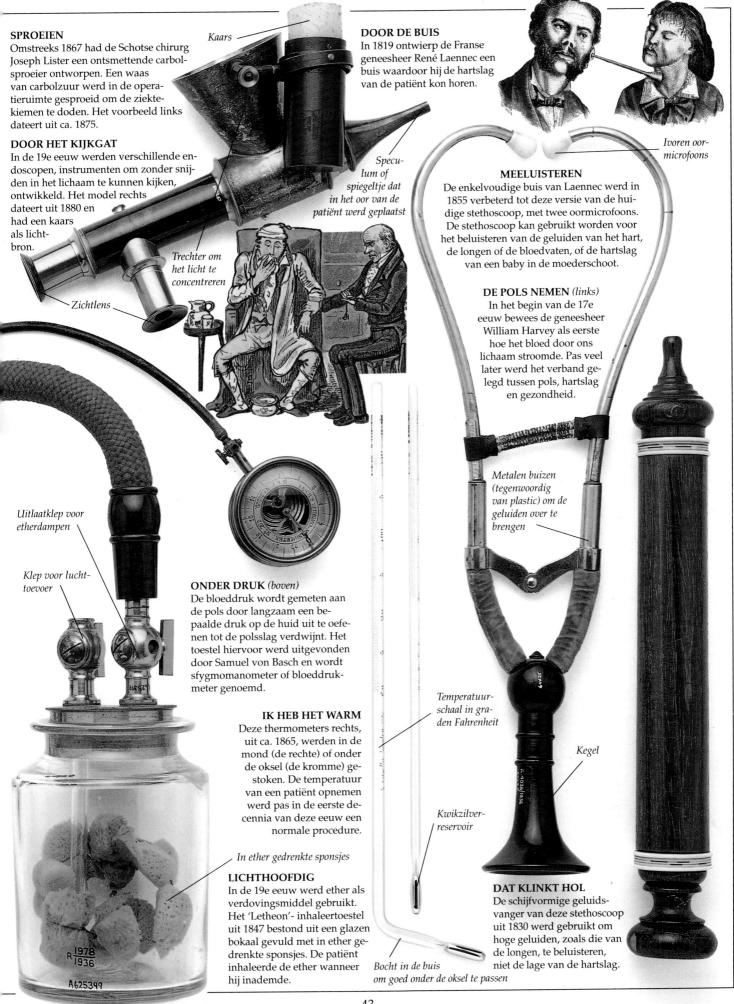

SPROEIEN
Omstreeks 1867 had de Schotse chirurg Joseph Lister een ontsmettende carbolsproeier ontworpen. Een waas van carbolzuur werd in de operatieruimte gesproeid om de ziektekiemen te doden. Het voorbeeld links dateert uit ca. 1875.

DOOR HET KIJKGAT
In de 19e eeuw werden verschillende endoscopen, instrumenten om zonder snijden in het lichaam te kunnen kijken, ontwikkeld. Het model rechts dateert uit 1880 en had een kaars als lichtbron.

Kaars

Speculum of spiegeltje dat in het oor van de patiënt werd geplaatst

Trechter om het licht te concentreren

Zichtlens

DOOR DE BUIS
In 1819 ontwierp de Franse geneesheer René Laennec een buis waardoor hij de hartslag van de patiënt kon horen.

Ivoren oormicrofoons

MEELUISTEREN
De enkelvoudige buis van Laennec werd in 1855 verbeterd tot deze versie van de huidige stethoscoop, met twee oormicrofoons. De stethoscoop kan gebruikt worden voor het beluisteren van de geluiden van het hart, de longen of de bloedvaten, of de hartslag van een baby in de moederschoot.

DE POLS NEMEN (links)
In het begin van de 17e eeuw bewees de geneesheer William Harvey als eerste hoe het bloed door ons lichaam stroomde. Pas veel later werd het verband gelegd tussen pols, hartslag en gezondheid.

Metalen buizen (tegenwoordig van plastic) om de geluiden over te brengen

Uitlaatklep voor etherdampen

Klep voor luchttoevoer

ONDER DRUK (boven)
De bloeddruk wordt gemeten aan de pols door langzaam een bepaalde druk op de huid uit te oefenen tot de polsslag verdwijnt. Het toestel hiervoor werd uitgevonden door Samuel von Basch en wordt sfygmomanometer of bloeddrukmeter genoemd.

IK HEB HET WARM
Deze thermometers rechts, uit ca. 1865, werden in de mond (de rechte) of onder de oksel (de kromme) gestoken. De temperatuur van een patiënt opnemen werd pas in de eerste decennia van deze eeuw een normale procedure.

In ether gedrenkte sponsjes

LICHTHOOFDIG
In de 19e eeuw werd ether als verdovingsmiddel gebruikt. Het 'Letheon'- inhaleertoestel uit 1847 bestond uit een glazen bokaal gevuld met in ether gedrenkte sponsjes. De patiënt inhaleerde de ether wanneer hij inademde.

Temperatuurschaal in graden Fahrenheit

Kwikzilverreservoir

Bocht in de buis om goed onder de oksel te passen

Kegel

DAT KLINKT HOL
De schijfvormige geluidsvanger van deze stethoscoop uit 1830 werd gebruikt om hoge geluiden, zoals die van de longen, te beluisteren, niet de lage van de hartslag.

De telefoon

EEUWENLANG HEBBEN MENSEN GE-
POOGD signalen over lange afstand te
seinen, met behulp van vuren en spiegels. De Fransman Claude Chappe ver-
zon in 1793 het woord telegraaf (letter-
lijk, op afstand schrijven) voor zijn sein-
apparaat. Verschillende standen van
beweegbare armen op torenspitsen gaven
cijfers en letters weer. In de daaropvolgende 40 jaar werd de
elektrische telegraaf ontwikkeld en in 1876 vond Alexander
Graham Bell de telefoon uit, waardoor voor het eerst gesprekken via draden werden doorgegeven. Zijn werk met doven wekte Bells belangstelling voor het tot-stand-komen van
geluid door luchttrillingen. Zijn onderzoek naar een apparaat
dat de harmonische telegraaf genoemd werd, bracht hem tot
de ontdekking dat een elektrische stroom zo veranderd kon
worden dat hij op de trillingen van een menselijke stem ging
lijken. De uitvinding van de telefoon
is op dit principe gebaseerd.

HET EERSTE GESPREK
Alexander Graham Bell (1847-1922)
ontwikkelde de telefoon na zijn werk
als spraakleraar voor doven. Hier
voert hij zijn eerste gesprek op de lijn
van New York naar Chicago.

EEN GESPREK TOT STAND BRENGEN
Deze twee mensen ge-
bruiken oude Edison-
modellen voor hun tele-
foongesprek. Twee
verschillende toe-
stellen, het eerste
met een modern
soort hoorn, het andere
met een afzonderlijke mi-
crofoon en ontvanger. Alle
gesprekken moesten via
een telefonist lopen.

ALLES IN EEN
De vroege modellen zoals dit model van Bell uit
1876-77 hadden een gecombineerd spreek- en
hoorapparaat in de vorm van een trompet. Dit instrument had een membraan dat trilde zodra er in het
mondstuk werd gesproken. De wisselende trilling varieerde een elektrische stroom in een draad en de ontvanger veranderde deze wisselende stroom weer
in trillingen die je kon horen.

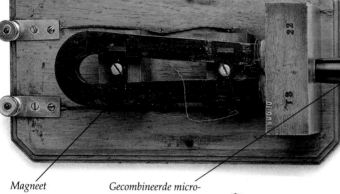

Magneet

*Gecombineerde micro-
foon en ontvanger*

Inductor

IJzeren diafragma

De telegraaf

Met de telegraaf werden signalen via een
draad gestuurd. De spoorwegen gebruikten
de eerste telegraaftoestellen om op de hoogte te blij-
ven van het treinverkeer. Later werden de belangrijkste steden door telegraaflijnen verbonden.

BOODSCHAPPENJONGEN
Met de morsesleutel (links)
kon je signalen uitzenden die
bestonden uit punten en
strepen. De naaldtelegraaf van
Cooke en Wheatstone (rechts)
deed naalden door de elektrische stroom de verschillende
letters aanwijzen.

HOORN
Bij deze telefoonhoorn uit
ca. 1878 ging een variërende
elektrische stroom door
een inductor. Daardoor
bewoog het ijzeren dia-
fragma en werden ge-
luiden voortgebracht.

HANG NIET OP
In 1877 ontwikkelde Thomas
Edison een afzonderlijke microfoon en ontvanger. Modellen zoals dit hier werden opgehangen aan een speciale
schakelaar die de verbinding
verbrak bij het ophangen.

DRADEN
De eerste telefoon-
kabels werden ge-
maakt van in glas ge-
vatte koperdraad. IJzer-
draad werd gebruikt
voor zijn sterkte, vooral
bij bovengrondse lijnen.

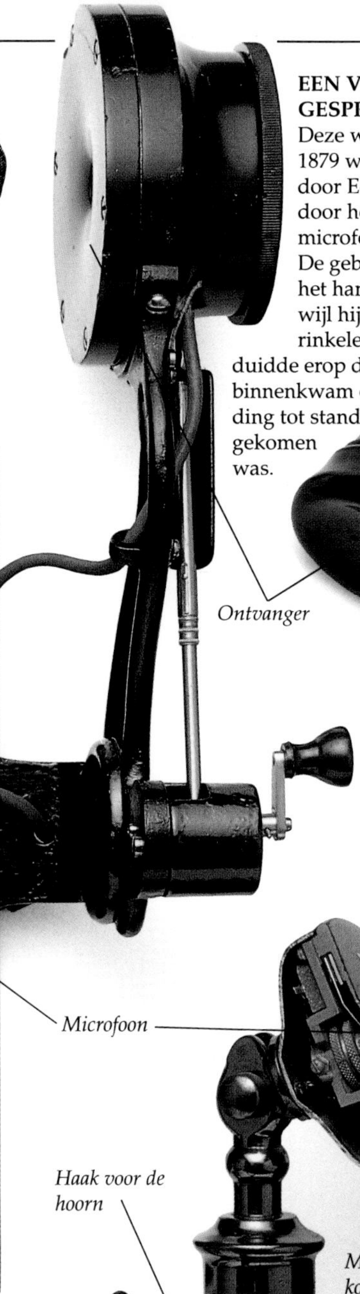

EEN VERMOEIEND GESPREK

Deze wandtelefoon uit 1879 werd uitgevonden door Edison en had een door hem ontworpen microfoon en ontvanger. De gebruiker moest aan het handvat draaien terwijl hij luisterde. Het rinkelen van de bel duidde erop dat er een gesprek binnenkwam of dat een verbinding tot stand gekomen was.

Ontvanger

HERHAAL HET NUMMER

Vroeger werd de telefoon in de centrale manueel doorgeschakeld. Een van de tientallen telefonisten nam het gesprek aan, vroeg je nummer en het gewenste nummer, en verbond het toestel van de aanvrager met dat van de ontvanger, waardoor het elektrisch circuit gesloten werd.

TELEFOONHOORN

Tegen 1885 werden microfoon en ontvanger in één hoorn verwerkt. In het begin was deze van metaal, maar later werden bakelieten en nog later plastic hoorns gebruikt.

Microfoon

Microfoon

Haak voor de hoorn

Microfoon met koolstofkorrels die door geluidsgolven samengedrukt en weer losgelaten worden, waardoor een elektrische stroom van verschillende sterkte ontstaat

DOE HET ZELF

Sommige kandelaarvormige telefoontoestellen uit de jaren '20 en '30 hebben een kiesschijf om het nummer via een automatische telefooncentrale aan te vragen.

Hoorn

Kiesschijf

EEN LANGE-AFSTANDS-GESPREK

Dit type telefoontoestel was erg in trek in de jaren 1890. Dit toestel dateert uit 1937. Tegen die tijd bestond de transatlantische telefoondienst tussen Londen en New York.

Vak voor telefoonboekje

Opname

Geluid werd voor het eerst opgenomen in 1877 op een fonograaf ontworpen door Thomas Edison (1847-1931). Dit toestel legde geluidstrillingen vast als inkepingen op een blad papier dat over een draaiende cilinder liep. Edison testte zijn machine door 'Hallo' in het spreekapparaat te roepen. Wanneer het papier onder een naald verbonden met een diafragma geschoven werd, verscheen het ingesproken woord. Deze mechanisch-akoestische methode van opname bleef in gebruik tot in de jaren '20 de elektrische systemen op de markt kwamen. Magnetische principes werden gebruikt bij de ontwikkeling van de bandopname. De bandopname kende een commerciële vooruitgang bij het ontstaan van de magnetische plastic band in 1935, en bij het gebruik van micro-elektronica (blz. 62) rond de jaren '60.

TWEE IN ÉÉN
Omstreeks 1877 had Edison aparte toestellen ontwikkeld voor opname en weergave. Geluid dat in een hoorn werd gemaakt, deed het diafragma trillen en de naald inkervingen maken op dunne bladen tinfoelie die rond de opnamecilinder gewikkeld waren. Door de weergavenaald en het diafragma in contact te brengen met de foelie en de cilinder te laten draaien, werden de geluiden via een tweede diafragma weergegeven.

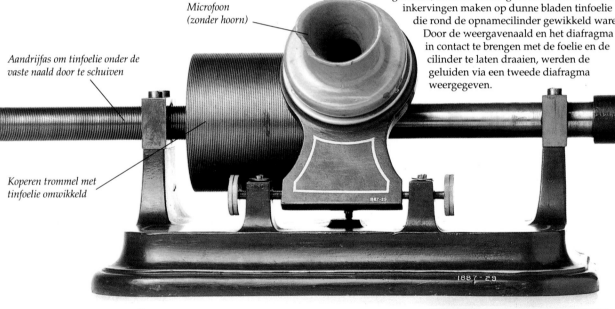

Microfoon (zonder hoorn)

Aandrijfas om tinfoelie onder de vaste naald door te schuiven

Koperen trommel met tinfoelie omwikkeld

Naald en cilinder in doorsnede

Edison-fonograaf waarbij de positie van naald en hoorn zichtbaar zijn

Positie van de hoorn

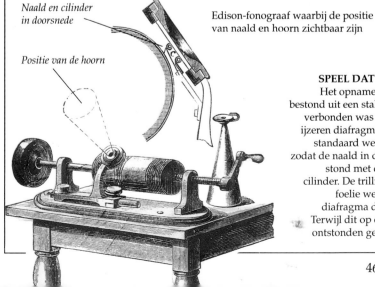

SPEEL DAT NOG EENS
Het opnamemechanisme bestond uit een stalen naald die verbonden was met een dun ijzeren diafragma. De houten standaard werd gekanteld zodat de naald in direct contact stond met de draaiende cilinder. De trillingen van de foelie werden aan het diafragma doorgegeven. Terwijl dit op en neer ging, ontstonden geluidsgolven.

Cilinder
en doos

IN DE GROEF *(boven)*
De saffiernaalden van Bell sneden een doorlopende groef in een wassen cilinder. De diepte hiervan was evenredig met de intensiteit van de opgenomen klanken. Deze cilinderopnamen duurden tot ongeveer 4 minuten.

Naalden

WASSEN MUZIEK *(links)*
De tinfoelie-opnamen van Edison speelden slechts 1 minuut en waren vlug versleten door de stalen naalden. Chichester Bell, neef van de uitvinder van de telefoon, en de wetenschapper Charles Tainter gebruikten in het midden van de jaren 1880 een saffieren naald en ontwikkelden een met was bestreken cilinder als een duurzamer alternatief. Edison ontwierp dit model in ca. 1905.

78-toeren-plaat

PLATTE PLATEN
In 1888 ontwikkelde Emile Berliner de voorloper van de moderne platen en platendraaiers. Het opnamemechanisme was hetzelfde als bij de vroegere toestellen, maar in plaats van een cilinder gebruikte Berliner een platte schijf. De groef varieerde niet in diepte maar het geluid werd ingesneden als zijwaartse uitwijkingen van een spiraalvormige groef.

EEN PLAAT PERSEN
Berliners eerste platensysteem maakte gebruik van een glazen plaat bedekt met een geharde schellaklaag als "negatief". Die werd gebruikt om de opname over te brengen op een platte metalen "positieve" plaat. In 1895 ontwikkelde hij een methode die tot voor kort nog gebruikt werd. Schellakpositieven, zoals deze 78-toerenplaat, werden geperst van een vernikkelde negatieve plaat.

Hoorn om de klanken van het ijzeren diafragma te kanaliseren

Draaitafel

Stalen naald

Bandopname

In 1898 ontwikkelde de Deense uitvinder Valdemar Poulsen het eerste magnetische opnametoestel. Opnamen werden gemaakt op stalen pianodraad. In de jaren '30 ontwikkelden de Duitse firma's Telefunken en I.G. Farben een plastic tape bedekt met magnetisch ijzeroxyde, en dit verving al vlug de stalen draden en banden.

OPGEDRAAID
De telegrafoon van Poulson uit 1903 werd elektrisch aangedreven en afgespeeld. De machine werd vooral gebruikt voor dicteren en telefonische berichten. De klanken werden op metaalkabels vastgelegd.

OP BAND *(boven)*
Deze bandopnemer van ca. 1950 had drie koppen, een om vorige opnamen uit te wissen, een om op te nemen en een om weer te geven.

De verbrandingsmotor

D E VERBRANDINGSMOTOR bracht een revolutie teweeg in het transport, bijna net zo groot als die veroorzaakt door het wiel. Voor het eerst was er een kleine relatief efficiënte motor beschikbaar. Dit leidde tot de produktie van voertuigen, van auto's tot vliegtuigen. In de verbrandingsmotor verbrandt een brandstof om energie op wekken. De brandstof brandt binnen in een buis, cilinder genoemd. Hete gassen worden gevormd tijdens het verbrandingsproces en deze gassen duwen een zuiger in de cilinder omlaag. De beweging van de zuiger produceert de energie om wielen of machines aan te drijven. De Belgische uitvinder Etienne Lenoir (1822-1900) ontwierp de eerste werkende verbrandingsmotor in 1860. De Duitse ingenieur Nikolaus Otto (1832-1891) bouwde een verbeterd model in 1876. Deze motor gebruikte vier zuigerbewegingen om energie op te wekken, en werd bekend onder de naam viertaktmotor. De viertaktmotor werd ontwikkeld door Gottlieb Daimler en Karl Benz en leidde tot de produktie van de eerste auto in 1886.

DE EERSTE WAGEN
Daimler en Benz pasten de motor van Otto aan zodat hij op benzine kon lopen, omdat benzine bruikbaarder was dan gas. Dit hield in dat de motor niet afhankelijk was van gastoevoer en genoeg kracht had om passagiers te vervoeren.

Uitlaat

Ventilator

AANGEPASTE STOOMMACHINE
Deze motor links dateert uit de jaren 1890 en hield het midden tussen een stoommachine en een moderne benzinemotor. Hij had een stoomschuifsysteem naast de cilinder, net als een stoommachine. De schuifklep liet de verbrande benzine vrij wanneer de zuiger die uit de cilinder duwde.

HIJ START NIET
Deze verbrandingsmotor uit 1838 had geen succes. Het model toont hoe de benzine verbrandde binnen in de cilinder die ronddraaide terwijl de hete gassen door luchtgaten ontsnapten.

GASMOTOR
De motor van Lenoir uit 1860 verbrandde een mengsel van lichtgas en lucht dat door de beweging van de zuiger in de cilinder werd gezogen. Het mengsel werd ontstoken door een elektrische vonk en het ontploffende gas dreef de zuiger naar het eind van de cilinder.

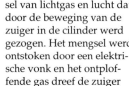

Nokkenas

Krukas

DE VIERTAKT-CYCLUS

Tijdens de aanzuigslag gaat de zuiger omlaag en zuigt het mengsel van lucht en benzine door de open klep in de cilinder. Tijdens de compressieslag gaat de zuiger naar boven en drukt het mengsel samen. De ontstekingsbougie ontsteekt het mengsel vlak voor de uiterste bovenstand van de zuiger. Tijdens de arbeidsslag of expansieslag duwt de uitzettende verbrande benzine de zuiger naar omlaag. Tijdens de uitlaatslag gaat de zuiger naar boven en duwt de verbrande benzine door de open klep naar buiten.

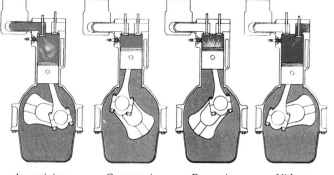

Aanzuiging   Compressie   Expansie   Uitlaat

EEN WAGEN VOOR IEDEREEN *(rechts)*

Het model T Ford uit 1908 was de eerste wagen die in massa gemaakt werd. Meer dan 15 miljoen kwamen er van de band voordat de produktie in 1927 werd stopgezet. Tegen 1910 stonden de basiskenmerken van vele latere auto's vast: een viertaktmotor vooraan waarvan de drijfkracht naar de achterwielen werd overgebracht via een cardanas.

BINNEN IN DE MOTOR

Deze Morris-motor uit 1925 is de normale krachtbron voor een gezinsauto. De vier gealigneerde cilinders hebben aluminium zuigers. De kleppen worden geopend door klepstoterstangen die bediend worden door een nokkenas en gesloten door veren. De energie wordt via de krukas naar de versnellingsbak overgebracht. De koppeling verbreekt de verbinding tussen motor en versnellingsbak.

Klep

Cilinder

Zuiger

Drijfstang

Film

IN 1824 VERKLAARDE DE ENGELSE DOC-
TOR P.M. ROGET voor het eerst het fe-
nomeen van de "nawerking van
het oog". Hij merkte op dat de
ogen de neiging hebben om een
object in een reeks gelijkaardige
posities die elkaar snel opvolgen, als één bewegend beeld te zien.
Het duurde niet lang voordat de mens besefte dat een bewegend
beeld geschapen kon worden met een reeks stilstaande beelden. In
de daaropvolgende 10 jaar hielden geleerden over de hele wereld
zich bezig met het ontwerpen van apparaten om deze illusie te schep-
pen. De meeste van deze apparaten kwamen niet verder dan het
speelgoedstadium of nieuwtjes, maar zij droegen, samen met de verbeteringen in de verlichting en de ontwikkeling van de fotografie bij
tot de vooruitgang van de filmtechniek. In de jaren 1890 gaven de
Franse broers Auguste en Louis Lumière een eerste openbare verto-
ning van cinematografische bewegende beelden. Zij ontwikkelden
een gecombineerde camera en projector, de cinématographe, die de
beelden op een strook celluloid vastzette.

DRAAIEN, DRAAIEN
Op het einde van de jaren 1870 ontwierp Eadweard Muybridge de
'zoopraxiscope' om bewegende beelden op een scherm te projecteren. De
beelden waren een reeks plaatjes, gebaseerd op foto's, die op een glazen
schijf geschilderd waren. Door het
draaien van de schijf ontstond een bewegend beeld.

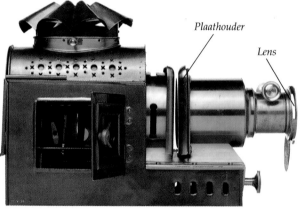

Plaathouder

Lens

ZILVEREN SCHERM
Het systeem van de
Lumières werd ge-
bruikt voor de eerste
echte filmvoorstel-
lingen in Europa. De
broers openden in
1895 een bioscoopzaal
in de kelders van een
café.

CINÉMATOGRAPHE LUMIÈRE

*Lichtkap om te voorko-
men dat er licht in de
lens zou vallen*

MAGISCHE LICHTSHOW
In een toverlantaarn (boven)
worden plaatjes op een
doorzichtige plaat geprojecteerd met behulp van een
lens en een lichtbron. In
de eerste toverlantaarns
werd een kaars ge-
bruikt, later werd gebruik
gemaakt van kalklicht of
koolstof (koolspitsen-
licht) om een fellere be-
lichting te krijgen.

FILM
De gebroeders Lumière
waren van de eersten
die geprojecteerde be-
wegende beelden lieten
zien. Hun cinémato-
graphe werkte zoals een
toverlantaarn, maar
projecteerde beelden
vanaf een doorlopende
filmstrook.

Een van de eerste filmmakers aan het werk

EEN STRIPVERHAAL *(boven)*
In de jaren 1880 produceerde Muybridge
duizenden fotoseries die mensen en dieren in beweging weergaven. Hij plaatste
12 of meer camera's naast elkaar en gebruikte elektromagnetische sluiters die
met precieze intervallen van fracties van
seconden beelden namen van al wat ervoor bewoog.

EEN LANGE KRONKELENDE WEG *(rechts)*
Film moet door de camera en de projector gedraaid worden met een snelheid van 16 tot 24 beelden per seconde. Vele meters film zijn nodig voor
een voorstelling van een paar minuten. Deze
Engelse camera uit 1909 had twee magazijnen voor
elk 120 m film. De film komt uit het eerste magazijn, gaat door de opening en wordt weer opgerold
in het tweede magazijn eronder.

*Lichtdicht
houten
film-
magazijn*

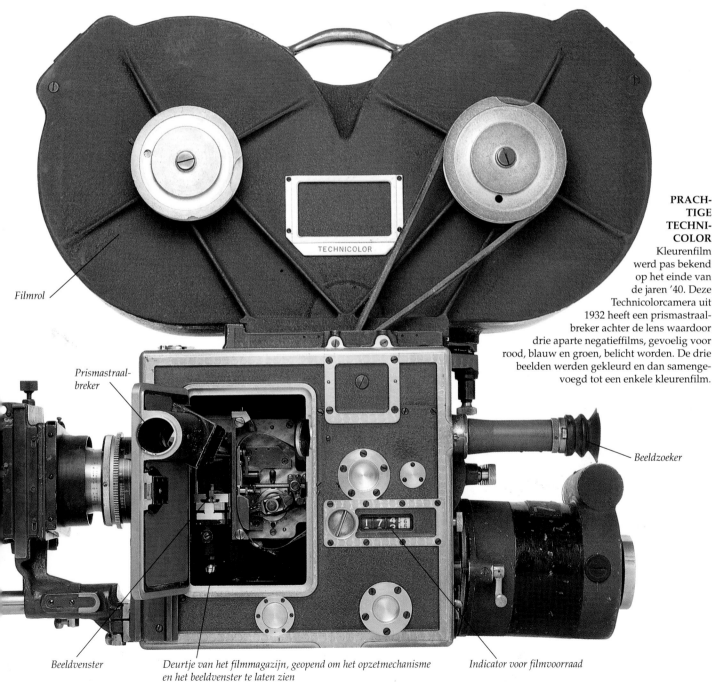

Filmrol

TECHNICOLOR

**PRACH-
TIGE
TECHNI-
COLOR**
Kleurenfilm
werd pas bekend
op het einde van
de jaren '40. Deze
Technicolorcamera uit
1932 heeft een prismastraal-
breker achter de lens waardoor
drie aparte negatieffilms, gevoelig voor
rood, blauw en groen, belicht worden. De drie
beelden werden gekleurd en dan samengevoegd tot een enkele kleurenfilm.

*Prismastraal-
breker*

Beeldzoeker

Beeldvenster

*Deurtje van het filmmagazijn, geopend om het opzetmechanisme
en het beeldvenster te laten zien*

Indicator voor filmvoorraad

De radio

GUGLIELMO MARCONI EXPERIMENTEERDE op de zolder van zijn ouderlijk huis in de buurt van Bologna en ontwikkelde de eerste radio. Hij werd gefascineerd door het idee berichten over te seinen met behulp van radiogolven en deed een uitvinding die de wereld veranderde: draadloze verbindingen over lange afstanden werden mogelijk, en de amusementswereld onderging een grote verandering. Als zender gebruikte hij de vonkzender van Heinrich Hertz. Deze radiogolven werden opgevangen door de "coherer", een uitvinding van de Fransman Edouard Branly. De coherer vertaalde de radiogolven in elektrische stroom. In 1894 liet Marconi een elektrische bel rinkelen door radiosignalen door de kamer te zenden. Binnen acht jaar zond hij radioboodschappen uit, 4800 km ver over de Atlantische Oceaan.

EEN SCHITTERENDE VONDST
In 1888 liet de Duitse fysicus Heinrich Hertz een elektrische vonk tussen twee metalen bollen springen, waardoor stroom ontstond in een nabij circuit. Hertz bestudeerde elektromagnetische golven, een soort van straling waaronder zichtbaar licht, radiogolven, röntgenstralen, infraroodstralen en ultraviolet licht vallen.

Triode

Glazen lamp

Positieve elektrode (anode)

Rooster

Gloeidraad (negatieve elektrode – kathode)

Diode

DRAAGGOLVEN
Elektronenbuizen zoals deze triode uit 1908 hadden een derde elektrode, het rooster, tussen de gloeikathode en de anode. Hiermee konden telefoonberichten en microfoonsignalen versterkt worden. De versterkte signalen worden gecombineerd met speciale radiogolven bekend als draaggolven zodat men ze over verre afstanden kon zenden.

OPWARMEN
De eerste radio-ontvangsttoestellen waren niet gevoelig. In 1904 gebruikte de Engelsman John Ambrose Fleming voor het eerst een diode (een apparaat met twee elektroden) die de radiogolven beter kon opvangen. Het was een soort elektronenbuis. Diodes zetten wisselstroom om in gelijkstroom om in een elektrisch circuit te gebruiken.

DE KATTESNOR
Toen de eerste radiostations in het begin van de jaren '20 hun uitzendingen startten, konden luisteraars afstemmen met ontvangers gemaakt van een kristaldetector, in Engeland kattesnor genoemd, en enkele onderdelen als spoel en condensator. De radiosignalen waren zwak, daarom werden koptelefoons gebruikt. Ze bevatten een stel luidsprekers die verschillende elektrische stromen in geluidsgolven omzetten om de uitzendingen te reproduceren.

DOOR DE LUCHT
Marconi ontwierp de radio als eerste praktisch systeem van draadloze telegrafie. Hierdoor werd een ononderbroken verbinding over land en zee mogelijk.

Elektrische verbinding met batterij

ZWARE KLANKEN

Elektronenbuizen en andere radio-onderdelen hadden een directe toevoer van stroom nodig. Tot de jaren '40 was nog lang niet iedereen op een elektriciteitsnet aangesloten. De radiotoestellen van de jaren '30 en '40 liepen op grote krachtige batterijen. De radio-ontvanger was daardoor groot en zwaar. Bij dit model werd een afzonderlijke luidspreker gebruikt.

Inductieklos

Afstemcondensator   Elektronenbuis

Afstemknoppen

Volumeregelaar

Kristal   Kristaldetector

FUNCTIE VAN DE KATTESNOR

De kristalontvanger werkte alleen maar wanneer het detectieveertje een contactpunt maakte met het kristal. Het was vaak moeilijk dit contact tot stand te brengen en daarom waren kristalontvangers onhandig in het gebruik. Ze werden dan ook vlug vervangen door apparaten met elektronenbuizen.

EEN GOEDE ONTVANGST
Deze ontvanger met elektronenbuis had een ingebouwde luidspreker.

Aansluitpennen

WOORD EN BEELD
Elektronenbuizen zoals deze triode waren belangrijk in de jaren '20, niet alleen bij de eerste gesproken uitzending van Engeland naar Australië (Marconi in 1924), maar ook bij de ontwikkeling van televisie, camera's, zenders en ontvangers.

EEN RADIO IN ELK HUIS
Tegen de jaren '20 werden er al veel radiozenders gebouwd en was de radio binnen het bereik van vele gezinnen.

KOM ERBIJ ZITTEN
Dit detail van een schilderij van W.R. Scott toont mensen die zich tijdens een kerstfeest rond een radio-ontvanger scharen. Dit schilderij dateert uit 1922, toen de radio voor de meeste mensen nog een nieuwigheid was.

Huishoudelijke uitvindingen

DE GELEERDE MICHAEL FARADAY (1791-1867) ontdekte in 1831 hoe elektrische stroom opgewekt kon worden. Maar het duurde nog jaren voordat elektriciteit algemeen in huis gebruikt werd. In het begin installeerden grote huizen en fabrieken hun eigen generator en gebruikten elektriciteit voor de verlichting. De elektrische gloeilamp werd in 1879 gedemonstreerd. In 1882 werd in New York de eerste elektrische centrale gebouwd. Naarmate de mensen begonnen te beseffen dat apparaten hen werk in huis konden besparen, werden mechanische apparaten zoals de eerste stofzuigers vervangen door efficiënter elektrische versies. De middenklassen maakten steeds minder gebruik van personeel en de arbeidsbesparende apparaten werden steeds populairder. Mixers en haardrogers kregen omstreeks 1920 elektrische motoren, in dezelfde tijd dat elektrische waterketels, kookplaten en verwarmingstoestellen verschenen die ook gebruik maakten van het verwarmende effect van elektrische stroom. Enkele van die apparaten lijken op de huidige.

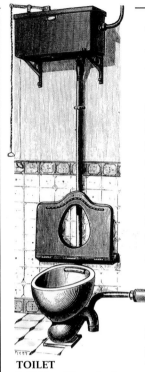

TOILET
In 1596 publiceerde sir John Harrington de eerste beschrijving van een toilet met waterspoeling. Maar het idee sloeg pas algemeen aan toen in de grote steden rioleringen werden aangelegd. De Londense riolering was pas gebruiksklaar in de jaren 1860. Tegen deze tijd had men reeds verschillende patenten genomen op verbeterde versies van het toilet.

KOEL HOUDEN
Elektrische koelkasten verschenen in de jaren '20. Ze waren een revolutie in de voedselbewaring.

THEETIJD
Hefbomen, veren en stoom van de waterketel waren de basiselementen van de automatische theepot van 1904. De bel ging wanneer de thee klaar was.

OP HET KOOKPUNT
De elektrische waterketel van Swan uit 1921 was de eerste die een volledig ondergedompeld verwarmingselement had. Bij oudere modellen zaten de verwarmingselementen in een apart compartiment in de bodem van de ketel, waardoor enorm veel warmte werd verkwist.

GOEDE MAATJES MET DE KOKKIN
Tegen 1879 had men de elektrische kookpan uitgevonden. Voedsel werd hierin verwarmd door elektriciteit die door geïsoleerde draden liep die rond de kookpot gewonden waren. In de jaren 1890 werden verwarmingselementen in de vorm van ijzeren borden gemaakt, met de bedrading onderaan. De moderne elementen die in alle vormen gebogen kunnen worden, kwamen pas in de jaren '20 op de markt.

Verwarmings-element

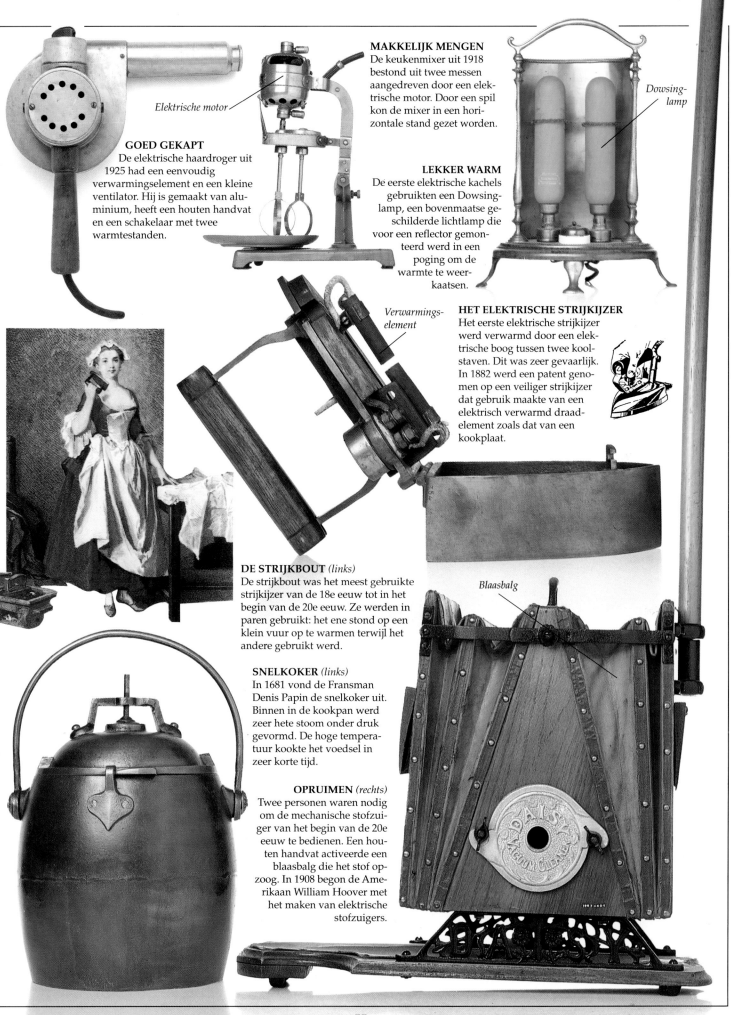

GOED GEKAPT
De elektrische haardroger uit 1925 had een eenvoudig verwarmingselement en een kleine ventilator. Hij is gemaakt van aluminium, heeft een houten handvat en een schakelaar met twee warmtestanden.

Elektrische motor

MAKKELIJK MENGEN
De keukenmixer uit 1918 bestond uit twee messen aangedreven door een elektrische motor. Door een spil kon de mixer in een horizontale stand gezet worden.

Dowsinglamp

LEKKER WARM
De eerste elektrische kachels gebruikten een Dowsinglamp, een bovenmaatse geschilderde lichtlamp die voor een reflector gemonteerd werd in een poging om de warmte te weerkaatsen.

Verwarmingselement

HET ELEKTRISCHE STRIJKIJZER
Het eerste elektrische strijkijzer werd verwarmd door een elektrische boog tussen twee koolstaven. Dit was zeer gevaarlijk. In 1882 werd een patent genomen op een veiliger strijkijzer dat gebruik maakte van een elektrisch verwarmd draadelement zoals dat van een kookplaat.

DE STRIJKBOUT *(links)*
De strijkbout was het meest gebruikte strijkijzer van de 18e eeuw tot in het begin van de 20e eeuw. Ze werden in paren gebruikt: het ene stond op een klein vuur op te warmen terwijl het andere gebruikt werd.

Blaasbalg

SNELKOKER *(links)*
In 1681 vond de Fransman Denis Papin de snelkoker uit. Binnen in de kookpan werd zeer hete stoom onder druk gevormd. De hoge temperatuur kookte het voedsel in zeer korte tijd.

OPRUIMEN *(rechts)*
Twee personen waren nodig om de mechanische stofzuiger van het begin van de 20e eeuw te bedienen. Een houten handvat activeerde een blaasbalg die het stof opzoog. In 1908 begon de Amerikaan William Hoover met het maken van elektrische stofzuigers.

De beeldbuis

IN 1887 ONDERZOCHT DE NATUURKUNDIGE William Crookes de eigenschappen van elektriciteit. Hij gebruikte een glazen buis met twee metalen platen, elektroden. Wanneer een hoog voltage werd gebruikt en de lucht uit de buis werd gepompt, ging de elektriciteit tussen de elektroden heen en weer waardoor in de buis een lichtschijn ontstond. Wanneer de druk afnam en het vacuüm benaderd werd, ging het licht uit maar bleef het glas gloeien. Crookes noemde de stralen die dat veroorzaakten kathodestralen, in feite waren ze een onzichtbare stroom van elektronen. Later ontwikkelde Ferdinand Braun een buis waarvan een einde bedekt was met een laag die gloeide wanneer de kathode-stralen erop terechtkwamen. Dit was de voorloper van de moderne televisiebuis.

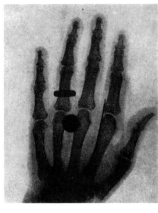

In 1895 ontdekte William Röntgen de "x-stralen" of röntgenstralen met behulp van een gelijkaardige buis als die van Crookes in 1895.

Kathode die elektronen uitzond

Metalen platen – de ene trok de stralen aan, de andere stootte ze af

Anode met opening om een elektronenstraal te produceren

Scherm bedekt met poeder dat gloeide wanneer de straal het raakte

IN DE BUIS
De buis van Braun uit 1897 bevatte twee paar vlakke metalen platen die rechte hoeken met elkaar vormden. Het scherm was bedekt met fosforescerend poeder. Door stroom op de platen te zetten richtte Braun de elektronenstraal (kathodestraal genoemd omdat de kathode ze afgaf) zo dat een lichte plek op het scherm te zien was. De plek verplaatste zich als de stroomsterkte op de platen gewijzigd werd.

KLEURENCOMBINATIE
In 1953 werd een kleurentelevisie ontwikkeld die gebruik maakte van een beeldbuis (onder) met drie elektronen-kanonnen – een voor blauw, een voor rood en een voor groen licht – en een schaduwmasker, een sjabloon dat iedere straal richt op de overeenkomstige stippen op het scherm.

Elektronenkanon

DE ONBEKENDE FACTOR *(links)*
De Duitse natuurkundige Wilhelm Röntgen ontdekte dat behalve kathodestralen nog een andere straling werd uitgezonden door een ontladingsbuis wanneer zeer hoge spanning werd gebruikt. Deze stralen – bekend onder de naam röntgenstralen – die hij x (onbekend) noemde, werden noch door elektrische geladen platen noch door magneten omgebogen. Ze gingen door materialen heen en verdonkerden fotografische platen.

Inductieklos om hoge spanning op te wekken

Fotografische plaat die de röntgenstralen vastlegt die door de hand gaan

IN EEN DRAAIKOLK *(rechts)*
In 1884 ontdekte Paul Nipkow een systeem van draaiende schijven met gaten in spiraal-vorm om een voorwerp te transformeren in een beeld op een scherm. In 1926 gebruikte de Schotse uitvinder John Logie Baird (zittend) de Nipkow-schijven, en geen kathodestraal-buizen, om de eerste televisie-uitzending ter wereld te geven.

Enkelvoudig straalkanon

Elektromagnetische winding die de elektronenstraal richt

DE TELEVISIE WORDT GOEDKOPER

Eind jaren '60 ontwikkelde de Japanse firma Sony het Trinitron-systeem, een beeldbuis verschillend van de oorspronkelijke RCA-kleurenbuis, en nam er een patent op. Hierdoor hoefden zij niet aan RCA te betalen voor elke buis die ze maakten.

Elektronenkanon dat drie verschillende stralen uitzendt

Trinitronbuis

TELEVISIE VOOR IEDEREEN

In 1936 begon de BBC met de eerste publieke televisie-uitzendingen vanuit deze studio aan het Alexandra Palace te Londen. In het begin gebruikten ze zowel het systeem van Baird als dat met kathodestraalbuizen. Het laatste gaf de beste resultaten en het systeem van Baird werd afgeschaft. In 1939 begon RCA in Amerika met het eerste volledig elektronische televisiestation.

VLUGGER DAN HET OOG *(onder)*

Tot de jaren '60 waren de meeste televisietoestellen zwart-wit en werkten zij met elektronenbuizen (blz. 52). De buis bestond uit een enkel elektronenkanon (onder), dat een straal produceerde die meer dan 50 keer per seconde het scherm aftastte. Naarmate de techniek verbeterde, werd de buis korter.

Fosforscherm

VOOR DE BUIS *(boven)*

Oude televisietoestellen zoals het model Victor van RCA hadden kleine schermen maar bevatten zoveel onderdelen dat ze in grote kasten gezet werden. In die tijd kostte zo'n toestel evenveel als een kleine wagen.

Elektronenkanon

Vliegen

EEN JONGE HAAN, een eend en een schaap waren de eerste levende wezens die in een door de mens gemaakt tuig vlogen. In 1783 werden ze in een warme-luchtballon gemaakt door de Franse gebroeders Montgolfier opgelaten. De broers waren opgelucht toen de dieren veilig landden en ze zonden twee van hun vrienden, Pilâtre de Rozier en de Markies d'Arlandes, op een 25 minuten durende vlucht over Parijs. Onder de oudste pioniers van het gemotoriseerd vliegen vinden we de Engelsen William Henson en John Stringfellow, die in de jaren 1840 een stoomvliegtuig bouwden. We weten niet of het kon vliegen of niet, het kan heel goed zijn dat het er niet in slaagde door het gewicht en de te zwakke motor. Maar het had veel van de eigenschappen van het geslaagde vliegtuig. Het waren uiteindelijk de Amerikaanse gebroeders Wright die er als eersten in slaagden een motorvliegtuig te besturen. Hun *Flyer* uit 1903 werd aangedreven door een lichtgewicht benzinemotor.

VLIEGENDE KOETS
De "luchtstoomkoets" van Henson en Stringfellow bevatte veel elementen die door latere vliegtuigbouwers werden overgenomen. Het vliegtuig had een afzonderlijke staart met roeren, hoogteroeren en omhooghellende draagvlakken. Het ding ziet er raar uit maar was een verrassend praktisch ontwerp.

Vleugels van hout en canvas

MECHANISCHE VLEUGEL
Ongeveer 500 jaar geleden ontwikkelde Leonardo da Vinci een reeks vliegende toestellen. De meeste hiervan hadden mechanisch klappende vleugels. Ze waren gedoemd te mislukken omdat het bewegen van de vleugels te veel kracht vereiste. Leonardo tekende ook een eenvoudige helikopter.

DE EERSTE VLUCHT (onder)
Op 4 juni 1783 lieten de gebroeders Montgolfier een papieren warme-luchtballon op. Deze steeg tot ongeveer 1860 m. Later in datzelfde jaar zouden de broers dieren en mensen de lucht insturen.

VRIJE VLUCHT (boven)
Het eerste bemande zweefvliegtuig werd gebouwd door de Duitse ingenieur Otto Lilienthal. Hij maakte verschillende vluchten tussen 1891 en 1896, tot zijn zweeftoestel neerstortte en hij daarbij omkwam. Zijn werk leerde ons hoe men een toestel in de lucht kon houden.

Vleugel

Propeller

Ruimte voor stoommotor

JULES VERNE
Deze tekening (rechts) van een vliegende machine verscheen in een boek
van Jules Verne. Verne is vaag over de
krachtbron en het ontwerp is in het algemeen onpraktisch.

OP STOOM
Het modelvliegtuig van Henson en
Stringfellow had een speciale lichtgewicht stoommotor, de enige toen beschikbaar, om de twee propellers aan
te drijven.

ALLES ONDER CONTROLE (boven)
De Amerikaanse broers Wilbur en
Orville Wright experimenteerden drie
jaar met zweeftoestellen en leerden ze
onder controle krijgen. Bij de Flyer lag
de piloot in het midden op de onderste vleugel en draaide hij de vleugels
om het vliegtuig te besturen. Het toestel had hoogteroeren (om te klimmen
en te dalen) en richtingsroeren (om zijwaartse bewegingen te controleren).

EERSTE GEMOTORISEERDE VLUCHT
Op 12 december 1903 steeg
de Flyer op in Kitty
Hawk, Carolina, met
Orville Wright als piloot.
De machine steeg tot een
hoogte van 3 m, en landde zwaar
na 12 seconden. De broers maakten die dag nog drie vluchten.
De langste duurde 59 seconden over een afstand van 260 m.

59

Plastic

PLASTIC IS EEN MATERIAAL DAT GEMAKKELIJK in verschillende vormen gegoten kan worden. Het werd aanvankelijk geproduceerd om andere materialen te imiteren, maar al vlug werd duidelijk dat het eigen bruikbare kwaliteiten had. Het bestaat uit lange, kettingachtige moleculen, gevormd door polymerisatie, een procédé waardoor kleinere moleculen samengevoegd worden. Het eerste plastic, parkesine, werd gemaakt door het samenvoegen van cellulosemoleculen die in de meeste planten te vinden zijn. Bakeliet was een eerste echt synthetische plastic en werd uitgevonden in 1909. De scheikundigen uit de jaren '20 en '30 ontwikkelden verschillende manieren om plastic te maken uit substanties die in olie aangetroffen werden. Als gevolg hiervan ontstond een reeks materialen met verschillende warmte, elektrische, optische en vormende eigenschappen. Plasticsoorten zoals polyethyleen, nylon en acryl worden nu alom gebruikt.

NAMAAK-IVOOR
Het eerste plastic leek op en voelde aan als ivoor, en kreeg namen als ivoride. Dit soort materialen werd gebruikt voor mesheften en kammen.

Gegoten versiering

Hard glad oppervlak

IN VLAMMEN
In de jaren 1860 werd een plastic, celluloid genoemd, ontworpen. Het werd gebruikt als vervanging voor ivoor bij het vervaardigen van biljartballen en voor kleine voorwerpen zoals deze poederdoos. Het nieuwe materiaal had in het begin weinig succes, maar in 1889 begon George Eastman het te gebruiken als basis voor fotofilm. Het had als nadeel dat het gemakkelijk vlam vatte en soms ontplofte.

HET EERSTE PLASTIC *(rechts)*
In 1862 maakte Alexander Parkes een harde materie die in verschillende vormen gegoten kon worden, "parkesine". Het was het eerste halfsynthetische plastic.

WARMTE-BESTENDIG
Leo Baekeland, een Belgische natuurkundige die in Amerika werkte, maakte een plastic uit chemicaliën die hij in koolteer vond. Hij noemde dit plastic bakeliet. Het verschilde van de eerdere plastics omdat het maar eenmaal door verhitting zacht kon worden om dan in de juiste vorm te verharden.

IN HUIS
Plastics uit de jaren '20 en '30, zoals ureumformaldehyde, waren sterk, niet giftig, en konden door synthetische pigmentatie alle kleuren krijgen. Ze werden gebruikt voor dozen, klokkasten, pianotoetsen en lampen.

Celluloid doos

Warmtebestendige bakelieten kan

Oppervlak dat er als marmer uitziet

Polytheen bril

Film

Eierdoos van
polystyreenschuim

Imitatiespons

Nylondraad

**NYLON
KOORD**
Nylon is dun
maar heel
sterk en is
daarom uit-
stekend ge-
schikt voor
touwen.

Schopje en racket
van gegoten
polytheen

SCHUIMPLASTIC *(boven)*
Polystyreen werd voor het eerst gemaakt in de
jaren '20. Er zijn twee soorten: een volle vorm en
een lichtgewicht schuim vol kleine gaatjes dat
polystyreenschuim
wordt genoemd.

Knopen en pen

Speelgoedstenen

*Afzonder-
lijke nylon-
vezels*

**VORMEN EN
AFMETINGEN**
Plastic kan in ingewikkelde vormen
gegoten worden, zoals dit fijne net.

PLASTIC VEZELS *(links)*
De Amerikaanse natuurkundige Wallace Carothers produceerde in 1934 een plastic, nylon genoemd. Het zag
eruit als kunstzijde en kon in fijne draden uitgetrokken
worden en tot stof geweven of rondgedraaid worden tot
een touw zo sterk als een stalen kabel. Andere kunst-
vezels zoals polyester werden ontdekt in 1941.
Polyestervezels worden tot stoffen geweven voor hem-
den, broeken en jurken.

Plastic moersleutel

Polytheen bloem

De siliciumchip

DE EERSTE RADIO'S EN TELEVISIETOESTELLEN gebruikten radiobuizen (blz. 52) om de elektrische stroom te regelen. Ze waren groot, hadden een korte levensduur en waren duur in produktie. In 1947 ontdekten geleerden van de Bell Telephone Laboratories in Amerika de kleinere, goedkopere en betrouwbaarder transistor om hetzelfde werk te doen. Met de ontwikkeling van de ruimtevaart waren nog kleinere componenten nodig. Tegen het einde van de jaren '60 werden duizenden transistors en andere componenten gemonteerd op een stukje silicium van slechts 5 mm². Deze chips werden al vlug gebruikt in andere domeinen ter vervanging van de mechanische controle-instrumenten in apparaten die gingen van vaatwasmachine tot camera's. Ze namen ook de plaats in van de omvangrijke elektronische circuits in computers. Een computer die vroeger een hele kamer in beslag nam, kon nu in een kast die je op een bureau kon zetten. Een revolutie in de informatica volgde. Computers werden voor alles gebruikt, van spelletjes tot de administratie van ministeries.

HET APPARAAT VAN BABBAGE
De voorvader van de computer was de mechanische rekenmachine van Charles Babbage. Vandaag hebben kleine chips de taak overgenomen van dit soort onhandelbare mechanieken.

Siliciumwafer met honderden chips

Siliciumchip

Plastic houdertje

Matrix met verbindingen die gemaakt moeten worden

4161 RC   ALUMINIUM

SILICIUMKRISTAL
Silicium vindt men gewoonlijk samen met zuurstof als silica, waarvan kwarts een vorm is. Zuiver silicium is donkergrijs, hard, niet-metallisch, en vormt kristallen.

EEN CHIP MAKEN
De elektrische componenten en verbindingen worden in lagen op een 0,5 mm dik schijfje van zuiver silicium (wafer) gelegd. Eerst worden chemische onzuiverheden ingesloten in specifieke zones van het silicium om hun elektrische eigenschappen te veranderen. Dan worden aluminiumverbindingen (het equivalent van conventionele draden) erbovenop gelegd.

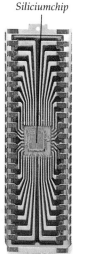

UIT DE OUDE DOOS
In het begin van de jaren '70 werden verschillende chiptypes ontwikkeld voor verschillende taken, zoals de geheugenchip en centrale-verwerkingschip. Elke siliciumchip, slechts enkele vierkante millimeter groot, wordt gemonteerd in een raam van verbindingen en pennen, gemaakt van koper bedekt met goud of tin. Fijne gouddraden verbinden contactplaatjes rond de rand van de chip met het raam. Het geheel huist in een beschermend isolerend plastic blok.

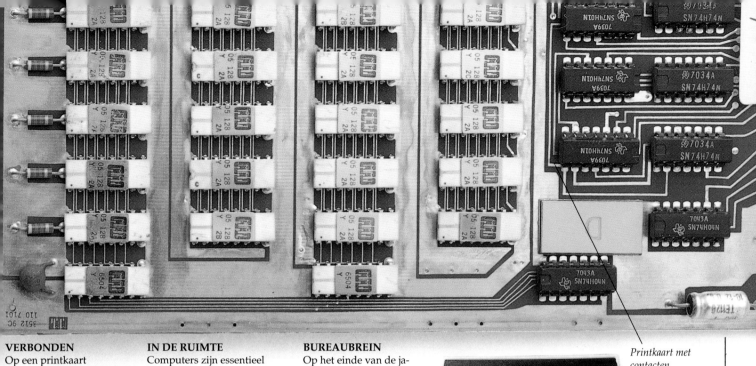

VERBONDEN

Op een printkaart (printed circuit board of PCB) wordt het koper rond de tracks op een isolerende plaat weggekrast. De componenten, ook de siliciumchip, worden in gaten van het PCB gemonteerd of gesoldeerd.

IN DE RUIMTE

Computers zijn essentieel voor de ruimtevaart zoals bij deze satelliet (onder). De siliciumchip maakt het mogelijk controle-instrumenten in de beperkte ruimte aan boord te monteren.

BUREAUBREIN

Op het einde van de jaren '70 kende de computer een boom. In Amerika bracht Commodore de PET op de markt, een van de eerste in massa geproduceerde personal computers (PC's). Hij werd vooral gebruikt op kantoor en op school.

Printkaart met contacten

Beeldscherm (visual display unit of VDU)

Toetsenbord

PLASTIC GELD

Deze plastic kaarten bevatten een siliciumchip die de gegevens van je bankrekening bevat. Telkens als een transactie plaatsvindt, voert de processor van de kaart zijn eigen veiligheids- en kredietlimiet-controle uit en boekt de beweging onmiddellijk op de rekening.

Siliciumchip

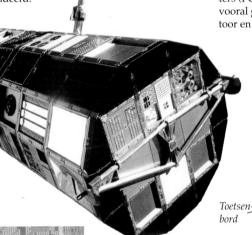

OP DE GOEDE WEG

Onder de microscoop ziet het circuit van een chip eruit als een netwerk van aluminiumsporen en siliciumeilanden, behandeld om elektriciteit te geleiden.

CONTACT LEGGEN

Van dichtbij zie je de contactdraden. Er zijn robots nodig om de draden aan de chip vast te maken omdat de componenten zo klein zijn en zo precies gemonteerd moeten worden.

Register

Verantwoording

foto's:
b = boven, o = onder, m = midden, l = links, r = rechts

Bridgeman Art Library: 11, 18om, 19ol
Russian Museum, Leningrad: 21mr, 22br
Giraudon/Musée des Beaux Arts, Vincennes: 30ol, 50mr.
E.T.Archive: 26br
Mary Evans Picture Library: 10m, 12ml, 12br, 14, 19mr, 19or, 20br, 21mr, 23br, 24br, 25br, 28or, 30or, 31mr, 36ol, 39m, 40bl, 40mr, 41bm, 42ol, 42ml, 43br, 43m, 45br, 50or, 53mr, 54bl, 54ol, 55ml
Vivien Fifield: 32m, 48ml, 48m, 48ol
Michael Holford: 16ml, 18lm, 18ol
Hulton-Deutsch: 41br
National Motor Museum Beaulieu: 49br
Ann Ronan Picture Library: 17bl, 29or, 29om, 35or, 38bl, 38mr, 44bl, 44br, 45bl, 56or
Science Photo Library: 63m, 63ol, 63om
Syndication International: 12bl, 13m, 23bl, 26mr, 28bl, 28mr, 34bl, 35bl, 36br, 46or, 50or, 52o, 52br, 56br, 58om, 59or

Bayerische Staatsbibliothek, München: 24cl
City of Bristol Museum and Art Gallery: 53or
British Museum: 13bm, 24ol, 59or
Library of Congress: 37bl
Smithsonian Institution, Washington DC: 58or

Met uitzondering van bovenvermelde foto's en de objecten op p. 8-9 en 61 werden alle foto's in dit boek gemaakt van voorwerpen uit de collectie van het Science Museum, Londen.

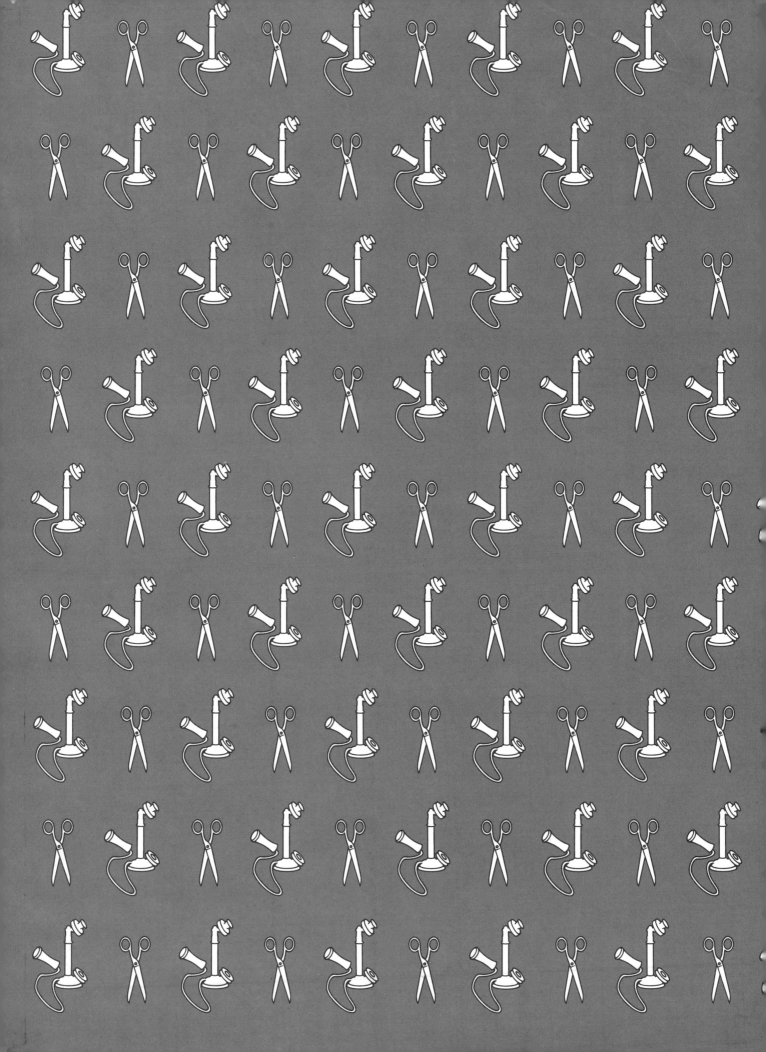